D0266175

Christine Nöstlinger
Bonsai

Christine Nöstlinger

Bonsai

Roman

Christine Nöstlinger, geboren 1936, lebt in Wien. Sie veröffentlichte Gedichte, Romane, Filme und zahlreiche Kinder- und Jugendbücher. Im Programm Beltz & Gelberg erschienen viele ihrer Kinderbücher, unter anderem *Wir pfeifen auf den Gurkenkönig* (Deutscher Jugendbuchpreis), *Maikäfer, flieg!* (Buxtehuder Bulle und Holländischer Jugendbuchpreis), *Lollipop, Zwei Wochen im Mai, Hugo, das Kind in den besten Jahren, Der Hund kommt!* (Österreichischer Staatspreis), *Der Neue Pinocchio, Der Zwerg im Kopf* (Zürcher Kinderbuchpreis), *Wie ein Ei dem anderen,* das Jahresbuch *Ein und Alles* (zusammen mit Jutta Bauer), *Einen Vater hab ich auch, Der TV-Karl, Vom weißen Elefanten und den roten Luftballons, Mein Gegenteil* und zuletzt *Das große Nöstlinger Lesebuch.* 1984 wurde Christine Nöstlinger für ihr Gesamtwerk mit der internationalen Hans-Christian-Andersen-Medaille ausgezeichnet.

Gesetzt nach der neuen Rechtschreibung

2. Auflage, 1998
© 1997 Beltz Verlag, Weinheim und Basel
Programm Beltz & Gelberg, Weinheim
Alle Rechte vorbehalten
Gesamtherstellung
Druckhaus Beltz, 69494 Hemsbach
Printed in Germany
ISBN 3 407 80804 2

Inhalt

1.

*Über den äußerst schwierigen tagtäglichen Umgang mit
einer Alleinerzieherin, etlichen Religions-Springern und
zweiundzwanzig Hohl-Köpfen.*

Eben habe ich wieder einmal den Tages-Streit mit meiner Alleinerzieherin hinter mich gebracht. Den haben wir beide schon so gewohnheitsmäßig drauf wie das Zähneputzen und es wird so lange siebenmal die Woche eine Fortsetzung davon geben, bis einer von uns der eindeutige Sieger wird. Das Problem dabei ist allerdings, dass ich nicht recht weiß, wie in diesem Mutter-Sohn-Krieg der eindeutige Sieg für mich aussehen sollte. Bei den tagtäglichen Kampf-Etappen ist das klar: Wer das Wohnzimmer verlässt und wütend die Tür hinter sich zuschlägt, ist der Tages-Verlierer, wer hocherhobenen Hauptes darin thronen bleibt, ist der Tages-Sieger. Aber meine restlichen Jugendjahre als Gesamt-Sieger hocherhobenen Hauptes allein im Wohnzimmer zu verbringen, danach sehne ich mich eigentlich nicht.

Wonach sich die Alleinerzieherin sehnt, ist mir schon eher klar. Die würde sich wohl als Gesamt-Siegerin betrachten, wenn sie mich dazu brächte, dass sich mein Tun und Lassen im Rahmen ihrer angeblich äußerst weiten Toleranzgrenzen hielte und ihre »bekanntermaßen überaus hohe Frustationsschwelle« nicht überschritte. Wenn sie also aus mir ein pflegeleichtes Knäblein gemacht hätte, das so nett ist nur dort unangepasst zu agieren, wo es ihr nicht missfällt. Anders gesagt: Wenn ich mich aus kindlicher Zuneigung zu ihr einer kompletten Wesensveränderung unterzöge.

Aber das bringe ich leider nicht, selbst wenn ich besten Willens bin und zufällig absolut nicht Böses im Sinn habe.

Typisches Beispiel heute am Nachmittag: Ich liege auf der Sitzbank im Wohnzimmer, futtere Chips und Oliven und zappe mich die TV-Programme rauf und runter. Sie kommt herein, noch in Manterl und Hütchen und mit ihrem Werktagsgesicht, Marke: Ach-Gott-wie-bin-ich-doch-wieder-einmal-vom-vielen-Geldverdienen-geschafft. In der Hand hat sie einen Brief, den reißt sie auf, zieht einen Wisch heraus, runzelt die Stirn und greint: »Diese Kirchenfritzen sind wohl völlig plemplem geworden, wie kommen die dazu, mir eine Kirchensteuernachzahlung vorzuschreiben, sollen froh sein, dass ich ihnen überhaupt was abgebe?«

Worauf ich sehr friedlich-freundlich sage, dass sie aus der Kirche austreten könne, wenn sie das nicht bezahlen wolle. Schließlich ist die Frau geschieden und bekäme nicht mal, wenn sie es wollte, die sonntägliche Kommunion gespendet. Und wenn man vom simplen Standard-Service einer Firma beinhart ausgeschlossesn ist, habe man doch alles Recht dieser den Vertrag aufzukündigen.

Die Alleinerzieherin seufzt vor sich hin und sagt, dass das im Grunde seine Richtigkeit habe, aber es gehe halt um einen schwer wiegenden Schritt und dann quatscht sie allerhand von »Kulturkreis des christlichen Abendlandes« daher und von »früher Prägung« und so verwaschenem Plunder mehr und ich sage – eher spielerisch – dass *ich* mir hin und wieder sehr wohl überlege nächstes Jahr am katholischen Religionsunterricht nicht mehr teilzunehmen und es mich kein bisschen stören würde, wenn ich damit dem Kulturkreis des christlichen Abendlandes »baba«* sagen würde. Und statt dass sich die Frau erst einmal höflich erkundigt, warum ich mir das hin und wieder überlege, sagt sie autoritär: »Nein, nein, Sebastian, das wirst du nicht!«, und dann doziert sie mir vor, dass ich die Religion, in die ich hineingeboren wurde, durch zwei wöchentliche Religionsstunden kennen lernen müsse und mich erst dann, wenn ich richtig erwachsen bin und genau wissend, worum es geht, verantwortungsvoll pro oder contra entscheiden könne. Und ich weise sie – noch einigermaßen ruhig und beherrscht – darauf hin, dass ich mich nach der Matura keineswegs mehr dazu entschließen könne, am Religionsunterricht teilzunehmen oder nicht, denn dann hätte ich ihn doch komplett hinter mir.

Und sie sagt, ja ja ja, so solle es auch sein, denn nichts sei schrecklicher als ein dumpfer Mensch, der etwas ab-

---

* Oftmals werden Wörter aus der Wiener Umgangssprache benutzt – nicht allen verständliche Wörter der Wiener Umgangssprache sind im Anhang erläutert.

lehnt ohne es wirklich zu kennen, davon komme doch der meiste Jammer auf Erden.

Wie bereits erwähnt, ich hatte das mit dem Austritt aus dem Religionsunterricht wirklich nur spielerisch gesagt ohne es tatsächlich konkret ins Auge gefasst zu haben, aber wenn mir meine Allerinzieherin erklärt, was für mich gut ist, dann raste ich sofort aus. Dann brennen bei mir alle Sicherungen durch! Im Nu war ich auf dem Standpunkt, dass ich nicht erst nächsten Herbst austreten werde, sondern sofort, auch wenn das unsere Schul-Gesetze gar nicht gestatten, und dass ich, falls mir das verwehrt wird, sämtliche Religionsstunden bis zum nächsten Sommer aus Protest im Kopfstand vor der Klasse zubringen werde. Was höchstwahrscheinlich dem frommen Mann, der uns heuer katholischen Religions-Unterricht verabreicht, gar nicht übel gefallen würde.

Das ist nämlich so: In unserer Schule gibt es seit Jahrzehnten den inzwischen schwer pensionsreifen Kaplan Keppelmüller, der hat lange Zeit alle Klassen religionsmäßig betreut, doch dann war eines Jahres so reger Zulauf an unser Gymnasium, dass eine zusätzliche erste Klasse gemacht wurde, und da hätte der hochwürdige Keppelmüller noch mehr Überstunden machen müssen, was ihm grob wider die Natur gegangen wäre. Also kam für die zusätzliche erste Klasse, und das war die meine, zweimal die Woche ein Religions-Springer ins Haus.

Dieser erste Springer war zwar eher ein Wanker, weil er jedes Mal einen nicht unwesentlichen Promille-Anteil an Alkohol im Blut hatte, was man zwei Meter gegen den Wind erschnuppern konnte, aber im schulischen Bürokratensprech nennt man eben einen Lehrer, der nicht fix an einer Schule angestellt ist, sondern von Schulhaus zu Schulhaus jappeln muss, um sich seine Wochenstunden durch den Unterricht von Schüler-Restposten zusammenzukratzen, Springer.

Da unsere Klasse keine sehr brave, belehrungswillige war und dies den Religions-Springer schwer frustrierte, gab er uns nach dem ersten Jahr dankend wieder ab. Und wir frustrierten den nächsten Springer. Und im Jahr darauf wieder den nächsten. Und nun sind wir in der fünften Klasse und das fünfte Springer-Exemplar wird seit Herbst an uns verfüttert.

Prinzipiell wäre ich dem Religionsunterricht nicht übel gesonnen. Wenn nur endlich einmal einer dieser Springer mehr im Kopf hätte oder aus ihm rausließe als den ewigen Kram von Nächstenliebe und Dritter Welt, Betroffenheit, ungeborenem Leben, verantwortungsbewusster Liebe und dergleichen mehr. Nichts dagegen einzuwenden, dass man darüber redet, von mir aus auch wochenlang, von mir aus könnte es sogar Prüfungsstoff werden, aber das wäre auch in anderen Unterrichtsfächern zu erledigen. In Religion will ich Religion haben!

Hoffnungsfroh teste ich also jeden neuen Religions-Springer gleich in einer der ersten Stunden, die er bei uns abhält, auf eventuell doch vorhandenen Ober-Über-Grips, indem ich ihn frage: »Bitte, kann Gott einen Stein erschaffen, der so schwer ist, dass er ihn nicht heben kann?« Jedes Mal werde ich bitter enttäuscht, es heißt dann, ich möge derartig saudumme Fragen unterlassen. Oder: Man verbitte sich solch pubertäre Dummheiten entschieden! Oder: Man werde auf unernste Anpöbeleien nicht eingehen.

Dabei ist das weder eine Dummheit noch eine Anpöbelei, sondern eine ernste Frage in Sachen göttlicher Allmacht! Aber das ignorieren nicht nur die Springer. Es kapiert auch keiner meiner Klassen-Kollegen, um was es mir geht, und dass mir das wirklich urwichtig ist. Die halten das alle bloß für preiswerten Springer-Häkel. Und alle anderen Fragen, die ich gern von den Religions-Springern beantwortet haben wollte, ebenfalls. Die können sich gar nicht vorstellen, dass jemanden Derartiges interessiert.

Ich hocke eben leider unter lauter Wappler-Kollegen, wo das Hohlkopftragen zur Standardausrüstung gehört und schon ein wenig Stroh im Kopf zu viel der geistigen Belastung wäre. Heute ist mir das wieder einmal schmerzhaft bewusst geworden! Seit Jahren versuche ich mir nämlich klar zu werden, ob der Mensch tatsächlich einen freien Willen hat. Und heute in der Früh, in der Straßenbahn, fällt mir urplötzlich ein Beweis dafür ein, dass das mit dem freien Willen völliger Humbug ist. Ich sitze, keinerlei spezielle Gedanken hegend, in der Bim und schaue zum Fenster raus und da sehe ich an einer

Hauswand ein riesiges Plakat. Eines von einer Bausparkasse. Darauf ist eine junge Frau mit dicken Baby-Bauch, dicht neben ihr ein junger Mann und die beiden linsen verklärt auf den dicken Bauch runter und dort, wo die Oberschenkel der beiden Innig-Blicker sein müssten, steht: *Wir denken an die Zukunft.*

Ich sehe das und denke mir: Denkt nur brav an die Zukunft, aber bei mir ist die Zukunft kein Thema!

Und die Bim rattert weiter und mir rattert nichts als Zukunft-Zukunft-Zukunft-Zukunft durchs Hirn und dazu noch als Draufgabe: Aber jetzt ist sofort Schluss mit diesem blöden Zukunft-Zukunft-Zukunft-Zukunft!

War mir aber nicht möglich damit Schluss zu machen, es *nicht* zu denken, obwohl ich mich ungeheuer darauf konzentriert habe. Und so war mir plötzlich sonnen-mond-sternklar, dass sich der Mensch nicht verbieten kann an etwas zu denken. Oder andersrum: dass er sich nicht befehlen kann an etwas zu denken. Und wenn er das nicht kann, dann hat er doch auch keinen freien Willen!

Das hat mich natürlich gewaltig aufgewühlt und ein aufgewühlter Mensch vergisst leider leicht den passenden Umgang mit Hohlköpfen. Ich bin in unsere Klasse rein und habe dem bereits anwesenden Teil der Belegschaft von meiner endlich gewonnenen Erkenntnis Mitteilung gemacht.

Ich hätte es problemlos ausgehalten, wenn mir wer widersprochen hätte. War aber keinem der Mühe wert.

Als ob ich ihnen ein Gedicht in Mittel-Hoch-Suaheli aufsagen würde, haben sie mich angeglotzt. Und da war mir wieder einmal, als ob ich in einen tiefen Brunnen reinplumpse. Das habe ich sehr oft. Aber unten komme ich nie an und weiß also nicht, ob dort den freien Fall dämpfendes, meinen Leib schonendes Wasser ist oder hartes Gestein, das mir die Knochen brechen würde. Immer ist dann nämlich irgendwer neben mir, der irgendetwas sagt, was mich wieder blitzschnell den Brunnenschacht rauf- und rauskatapultiert.

Heute am Morgen war es der Alexander, der gesagt hat: »Bonsai, deine Hirnwichser-Furze sollten mich zwicken! Hast denn gar keine anderen Sorgen?«

Meistens nennen mich meine Klassen-Kollegen, taktvoll wie sie sind, bloß »Bonsai«, wenn ich nicht dabei bin. Aber der Alexander war wohl noch zu verschlafen um höflichen Takt walten zu lassen.

Einerseits könnte ich mir denken: Ist ohnehin besser, wenn sie dir ehrlich ins Gesicht sagen, was sie hinter deinem Rücken hämisch tuscheln. Aber andererseits ist das nicht unbedingt gesund für die Psyche, denn man geht dadurch der paar wohltuenden Stunden verlustig, in denen man sich im Kollegen-Kreis angenommen und geborgen fühlt. Okay, das Gefühl der Geborgenheit ist dann bloß ein irrtümliches. Aber auch Irrtümer können die Psyche streicheln. Und ein Gestreichelter stapft frohgemuter durch den Alltag als ein Geprügelter. Schließlich bin ich geborener und aufgezogener Wiener

und darf mich ans Motto vom uralten Nestroy halten:
Ist alles Chimäre, aber mich unterhalt's!

2.
Von Klamotten-Problemen, Antimaterie-Kerlen und Wippschaukel-Gesprächen sowie einer vernünftigen Kusine.

Darauf, mir den Spitznamen »Bonsai« anzuhängen, sind ein paar witzige Kerlchen in meiner Klasse deshalb verfallen, weil ich klein bin. Sehr, sehr klein. Kleiner als unser kleinstes Mädchen in der Klasse, die Anneliese. Angeblich werde ich noch irgendwann einmal wachsen. Das haben drei sehr ehrenwerte Medizin-Professoren gegen gutes Privat-Honorar festgestellt. An den Mittelhandknochen kann man das schulmedizinisch erkennen. Darum haben sie mir auch die Hormone verweigert, die einem ein paar Zentimeter Zuwachs verschaffen.

Und dass sie mich in der Klasse nicht einfach »Zwergerl« getauft haben, liegt wohl daran, dass ich eigentlich ein wirklich schöner Mensch bin. Bei Zwergen stimmen die Proportionen meistens nicht, da sind die Beinchen zu kurz oder der Kopf ist zu groß oder die Ärmchen sind zu lang. Aber bei mir stimmt alles, genauso wie bei einem Bonsai-Bäumchen eben.

Meine Kusine Eva-Maria trägt sogar ständig ein postkartengroßes Farbfoto von mir im Taschenkalender mit sich herum und gibt damit schwer bei ihren Schul-Freundinnen an. Auf diesem Foto stehe ich in Siegerpose und Badehose am Strande von Taormina. Hinter mir nur Meer, vor mir nur Sand, weit und breit kein anderes

Lebewesen, an den man mich messen könnte. Der unwissende Betrachter kann also glatt dem Irrtum verfallen, dass da ein ein Meter neunzig großer Kerl steht. Und wenn ich einen Meter und neunzig Zentimeter groß wäre, das darf ich ruhig behaupten, hätte ich garantiert Chancen als männliches Top-Model!

Tatsächlich kauft die Alleinerzieherin aber alle meine Klamotten bei »Benetton 0-12«, und ich habe den schweren Verdacht, dass sie dort nicht mal die größte Größe aus den Regalen holt. Zum Einkaufen mitgehen kommt für mich nicht in Frage. Es ist schließlich urdemütigend für jemanden, dem bereits zarter Bartflaum sprießt, zwischen echten Kindern Hosen, Hemden und Jacken zu probieren und vielleicht noch beim Rausgehen von der Verkäuferin einen roten Luftballon oder einen Lolli in die Hand gedrückt zu bekommen.

Früher, als ich noch nicht die Charakterstärke entwickelt hatte, derer es bedarf, dem mütterlichen Befehl zur Teilnahme am Klamottenkauf hartnäckig zu widerstehen, wünschte ich mir in den textilen Ramschläden immer meinen Antimaterie-Kerl herbei, damit die ganze Probier-Tortur ein urplötzliches Ende habe.

Auf diesen Antimaterie-Kerl habe ich seinerzeit überhaupt wahnsinnig oft gehofft. Immer dann, wenn mir das Leben zu schwer fiel, und das tat es meistens. Manchmal sehne ich mich auch heute noch nach ihm.

Vernünftige Leute, wie zum Beispiel die Alleinerzieherin, sagen, dass es ihn gar nicht gibt und jeder Dolm ein ungebildeter Spinner sei, der an derartigen Unsinn glaubt.

Die Nicht-Spinner sagen: Antimaterie ist Materie aus Atomen, die aus Antiteilchen bestehen und in Gegenwart normaler Materie nicht existenzfähig sind, weil Antiatome, obwohl an sich stabil, beim Zusammentreffen mit Atomen gemeinsam mit diesen zerstrahlen würden. Die Spinner hingegen stellen sich das wesentlich aufregender vor. Sie behaupten, dass es auf Erden Lebewesen aus Materie gibt und Lebewesen aus Antimaterie. Und jedes Materie-Wesen hat ein zwillingsgleiches Antimaterie-Wesen, und würden die beiden einander begegnen und berühren, würden sie sich flutsch-päng-wutsch in Nichts auflösen.

Na schön, das ist eine ziemlich irre, aber doch sehr liebenswürdige Idee und es gibt keinen Grund, warum ich ihr nicht wenigstens hin und wieder nachhängen sollte. So saudumm, dass ich sie in der Physikstunde laut von mir geben würde, bin ich ja auch wieder nicht!

Ist also völlig überflüssig, dass sich die Alleinerzieherin, kaum verliere ich mich ein wenig in der Möglichkeit des perfekten Mordes durch das Heranschaffen von Anti-Wesen, ans naturwissenschaftliche Dozieren macht und mir lange Vorträge über die Unsinnigkeit meiner Ideen hält. Diese Frau kapiert einfach nicht, dass es Menschen gibt, die über ein und denselben Sachverhalt, je nach Laune, zweierlei denken können. Was Vernünftiges und was Unvernünftiges. Vor allem dann, wenn sie sich das Vernünftige ohnehin nicht exakt vorstellen können, das Unvernünftige aber sehr wohl. Ist doch erquicklich, in der Mathematik-Stunde zu sitzen und sich auszuträumen, dass gleich die Klassentür aufgehen und einer reinkommen wird, der haargenauo widerwärtig ausschaut wie unser Dr. Frischmeier, auf den zuschreitet, ihm die Hand reicht und plotzlich »zerstrahlen« sie alle zwei ohne das klitzekleinste Häuflein Asche neben dem Lehrertisch zu hinterlassen! So lässt sich übrigens auch gut rauskriegen, wen man echt gern hat. Wenn ich mir meine Kusine Eva-Maria vorstelle, wie sie auf der Straße geht und vor sich hinpfeift – sie pfeift meistens sehr laut und sehr falsch vor sich hin – und dann stelle ich mir eine pfeifende Anti-Eva-Maria vor, die auf die Eva-Maria zukommt, so halte ich das bis zum bitteren Zerstrahl-Ende überhaupt nicht durch. Jedes Mal lasse ich die Anti-Eva-Maria, knapp bevor sie zur Eva-Maria kommt, in einem Hauseingang verschwinden.

Wenn man es nicht einmal aushält, jemanden in Gedanken, rein spielerisch, zerstrahlen zu lassen, hat das wohl allerhand mit tiefer Zuneigung zu tun. Und das ist im Falle Eva-Marias auch kein Wunder. Sie ist so ziemlich der einzige Mensch, mit dem ich völlig zurechtkomme. Nie habe ich mit ihr mein Wippschaukel-Problem.

Das Wippschaukel-Problem ist die mildere Form vom Brunnenschacht-Problem. Bei allen Menschen, außer der Eva-Maria, auch bei denen, die ich recht gern mag, bekomme ich meistens, wenn ich mit ihnen rede, also ernsthaft rede, dieses blöde Wippschaukel-Gefühl. Entweder bin ich unten und der am anderen Ende der Wippschaukel kriegt mich nicht hoch oder ich zapple oben und komm nicht runter, jedenfalls komme ich mit keinem Gesprächspartner ins harmonische Schaukeln. Das funktioniert nur mit der Eva-Maria richtig. Mit ihr wippe ich mir superleicht einen duftigen Gedankenaustausch zusammen, wenn es sein muss, eine ganze Nacht durch, bis zum Morgengrauen.

An den Wochenenden übernachte ich oft mit der Eva-Maria in einem ländlichen Zimmerchen, da unsere Mütter einander liebende Schwestern sind und alles miteinander teilen, also auch das alte Bauernhaus, das sich meine Tante Erika gekauft hat, weil sie »wieder zur Natur zurückfinden« wollte. Ich bin an der Natur nicht interessiert, ich komme bloß wegen der Eva-Maria mit. Damit ihr nicht so langweilig ist und sie nicht zwischen Mutter und Tante seelisch verkümmert.

Meine Tante hält ihre Tochter nämlich für zu jung um allein daheim zu bleiben. Was natürlich lächerlich ist. Die Eva-Maria ist bloß um ein paar Wochen jünger als ich. Und ich war bereits vor etlichen Jahren manchmal ein ganzes Wochenende allein zu Hause, wenn meine Mutter – halbberuflich – wegfahren musste. Halbberuflich deswegen, weil damals meine Mutter noch nicht ihr eigener Chef war, sondern sie noch einen Chef hatte, und der war nebenbei ihre »Beziehung«, aber leider verheiratet, und so verlegten die beiden ihre Lovestory auf Arbeitswochenenden fernab der Chef-Gemahlin. Aber meine Tante ist viel sturer als ihre Schwester, mit der lässt sich kaum etwas ausdiskutieren. Und so muss die Eva-Maria trotz Protest mit in die Natur und ich fahre aus Solidarität mit. Eine winzige Hoffnung den ländlichen Wochenenden in nächster Zukunft zu entgehen ist nun allerdings aufgetaucht. Meine Tante Erika hat zarte Bande zu einem Ministerialrat Schaberl geknüpft. Und den würde sie gern, hat mir die Alleinerzieherin geflüstert, ins Wochenende mitnehmen. Aber sie hat Angst, dass er und ihre Tochter miteinander nicht »gut harmonieren« könnten und dass die Eva-Maria den Ministerialrat vergrault, noch bevor die zarten Bande so fest geknüpft sind, dass er nicht mehr von ihr loskommt.

So nehme ich an, dass meine Tante ihre Tochter demnächst für groß genug halten wird allein daheim zu übernachten und sich mit Nahrung zu versorgen. Den Ministerialrat lässt sich die Frau doch nicht so einfach durch die Lappen gehen! Die will unbedingt noch zu einem zweiten Ehemann kommen. Auch in dieser Beziehung ist sie total anders als ihre Schwester. Sie sagt, sie brauche jemanden »zum Kopf an die Schulter legen« und zum Teilen der Lebenslasten und der Lebensfreuden. Und so alt, sagt sie, dass sie auf alle Erotik verzichten mag, sei sie auch noch nicht. Nur sei halt, sagt sie, die Auswahl so gering. Die Männer, die was taugen, seien bereits alle vergeben. Und unter dem Männer-Ausschuss, den keine Frau haben wollte, mag sie auch nicht nach einem halbwegs brauchbaren Exemplar suchen. Meine Tante hat sogar schon mehrmals eine Bekanntschafts-Anzeige in einer Zeitung aufgegeben. Die Eva-Maria und ich haben dann tagelang die Beziehungs-Teile aller in Betracht kommenden Zeitungen durchstudiert um rauszukriegen, welches Inserat von ihr stammen könnte. War aber niemals von einer übergewichtigen Frau mit fünfzehnjähriger Tochter die Rede. Also entweder hat sie sowohl ihren Speck und ihre Tochter verschwiegen oder wir haben die falschen Zeitungen durchforscht.

Dass ich so genau über die liebesmäßigen Sorgen meiner Tante Bescheid weiß, kommt daher, dass die Wände im Bauernhaus dünn sind. Das Zimmerchen, in dem unsere Mütter nächtigen, liegt neben dem, in dem die Eva-Maria und ich schlafen, und jeden Samstagabend, wenn sich meine Tante neben meiner Mutter aufs Doppel-Lager legt, stülpt sie sofort ihr Innerstes nach außen. Und da muss man absolut nicht extra ein Ohr an die Wand legen und lauschen, da müsste man sich beide Ohren zuhalten um ihrem Lamento zu entgehen.

Ich für meinen Teil wäre ja geneigt mit Oropax gegen diese abendliche Klage-Belästigung vorzugehen, aber erstens könnte ich dann auch nicht hören, was die Eva-Maria sagt, und zweitens ist die Eva-Maria verständlicherweise daran interessiert, jedes Detail der mütterlichen Berichte mitzubekommen. Kann ihr ja nicht egal sein, ob ihre Mutter solo bleibt oder ob ihr ein Wappler ins Haus steht, der ihr Vaterersatz sein will. Wäre freilich auch möglich, dass ihr ein Herr ins Haus stünde, der kein Wappler, sondern ein vernünftiger Mensch ist. Aber warum sollte ein vernünftiger Mensch gerade beide Augen begehrlich auf meine Tante werfen? Höchstens konnte sich ein solcher für sie erwärmen, wenn er Mops-Liebhaber ist, denn die Frau hat das totale Mopsgesicht. Und zwar ein böses, bissiges. Die Eva-Maria hat ein bisschen davon geerbt. Aber sehr, sehr gemildert. An ihr wirkt das Möpsische echt lieblich. Nur hoffentlich kriegt sie mit zunehmendem Alter nicht auch den Damenbart ihrer Mutter. Meine Tante klebt zwar alle drei Wochen ein Harzpflaster über den Schnurrbart, lässt das Harzzeug antrocknen und reißt es dann – begleitet von einem wilden Aufschrei – weg, wodurch alle schwarzen Damenbarthaare samt Würzelchen rausgerissen werden. Aber kaum ein paar Tage später schimmert es über ihrem Oberlipperl schon wieder schwarz.

3.

Von meiner Alleinerzieherin sehr merkwürdigen Reaktion auf mein größtes Problem, als mir dieses noch gar nicht bekannt war.

Ich habe meine Kusine Eva-Maria also unheimlich gern. Dabei hat mir dieses Mädchen, in aller Unschuld freilich, das bisher komplizierteste Problem meines fünfzehnjährigen Lebens beschert. Vor ein paar Wochen war es, da kam sie zu mir rübergeradelt – sie wohnt nur ein paar Häuserblocks weiter – weil sie mit ihrem Deutsch-Referat nicht zurechtkam und meinen Beistand wollte. Aber den konnte ich ihr nicht geben, denn sie hatte sich den»Kleinen Prinzen« zum Referieren ausgesucht und dem kann ich nun absolut nichts abgewinnen. Sorry! Was sich der merkwürdige Kerl da in der Wüste zusammenphilosophiert, kommt mir wie saurer Kitsch vor. Da allerdings die meisten Leute, die ich für sehr gescheit halte, das ganz anders beurteilen und geradezu ins Schwärmen über diesen kleinen Prinzen geraten, wagte ich nicht der Eva-Maria meine Meinung aufzudrängen.

Sie nahm das auch nicht weiter tragisch und vertagte ihr Referats-Problem auf nächste Woche. Ihr Referat sei erst in zwei Wochen an der Reihe, bis dahin werde ihr schon selbst etwas Passendes einfallen, meinte sie. Und sie müsse ohnehin eine wesentlich wichtigere Sache mit mir bereden: ihre Haarfarbe! Sie wolle nicht länger dackelbraun am Haupte sein, könne sich aber weder zu platinblond noch rubinrot oder rabenschwarz wirklich entscheiden. Und buntscheckige Haarpracht, so mit grünen, rosaroten und violetten Strähnen, das gefiele ihr zwar gar nicht übel, würde sie aber als Vertreterin einer Weltanschauung ausweisen, die sie nicht habe, und könnte dadurch zu unliebsamen Verwechslungen führen. Also moge ich ihr raten, welche Haarfarbe ihrem Typ am besten entspreche, ich sei schließlich der einzige Mensch, der »ihre Persönlichkeit in voller Tiefe erfasst habe«.

Spontan konnte ich da nicht raten, weil mir meine Kusine auch dackelhaarig sehr gut gefällt und ich keinerlei Bedürfnis in mir spürte rund um ihr liebes Gesicht andersfarbenen Haarschmuck zu sehen. Aber mir fiel ein, dass meine Mutter etliche Perücken besitzt. Die hat sie vor vielen Jahren, in ihren jungen Jahren, getragen. Da ist es Mode gewesen, jeden Tag eine andere Perücke, wie eine Pudelmütze, überzustülpen.

Ich ging die Perücken suchen, fand sie in der Abstellkammer in einem verstaubten Karton und schleppte sie an.

Die Eva-Maria probierte alle Perücken durch und war frustriert, weil sie sich unter keiner »besonders toll aufregend« vorkam. Mir übrigens auch nicht! Und dann setzte sie mir die Perücke mit den langen, schwarzen Ringellocken auf und konnte sich vor Entzücken darüber, welch hübsches Mädchen ich nun abgebe, gar nicht fassen. Dann wollte sie mich noch perfekter »stylen« und rückte mir mit Lippenstift, Puder und Lidschatten ans Gesicht. Und dann zog sie ihre Klamotten aus und stopfte mich in ihren roten Minirock und ihren ferkelrosa Pullover. Als knackige Brüste steckte sie mir zwei Tennisbälle ins Strickzeug, ihre giftgrünen Schuhe mit den Sechs-Zentimeter-Absätzen musste ich mir auch anziehen lassen. Und dann ließ sie mich posieren wie ein Teeny-Model und knipste mich ein Dutzend Mal mit der Polaroid-Kamera.

Die Fotos fielen echt gut aus und zeigten ein tolles Sexy-Girly. Die Eva-Maria sagte, ich könnte die abgelichtete Person glatt als meine schöne Zwillingsschwester ausgeben.

Die Idee fand ich optimal. Mein Pultnachbar, der Michael, hat nämlich nichts anderes im Schädel als zarte Bande zu knüpfen. Dauernd ist er am erfolglosen, begehrlichen Beziehungsflechten. Mit dem in der Straßenbahn zu fahren, wenn sich in dieser ein Mädchen befindet, ist eine Pein. »Die muss ich anbaggern!«, sagt er dann regelmäßig, drängt sich zu der ahnungslosen Person durch, stellt sich neben sie hin und quatscht sie saublöd an. Und wenn die Straßenbahn überfüllt ist, dann nimmt er Hautkontakt auf; wofür er schon einmal von einem tapferen Girl eine saftige Ohrfeige bekommen hat.

Ich legte mir eine tolle Geschichte von einer verloren gegangenen, wieder gefundenen Zwillingsschwester zurecht, die bisher bei meinem verschollenen Vater gelebt, von mir nichts gewusst, aber immer so ein vages Gefühl gehabt hatte: Mir geht etwas ab, ich fühle mich nur wie eine Hälfte! Derartiger Blödsinn liegt auf der Geisteslinie des Dödels Michael.

Ich beabsichtigte ihm die Fotos als Köder vorzulegen. Garantiert hätte er angebissen und das schöne Fräulein Zwillingsschwester kennen lernen wollen. So viel Grips zu wissen, dass einander gleichschauende, also eineiige Zwillinge auch gleichen Geschlechts sein müssten, hat der Knabe ja nicht. Ich hätte ihn hinhalten und ihn von einem Tag auf den anderen vertrösten können und er wäre die ganze Zeit urnett zu mir gewesen, um mich kupplerisch gnädig zu stimmen und endlich an eine »flotte Biene« zu kommen; wie das in seiner Macho-Diktion heißt. Aber am nächsten Morgen kam mir die Idee denn doch zu kindisch vor und ich ließ es sein.

Der Packen Polaroid-Fotos lag dann auf meinem Schreibtisch herum, wo ihn die Alleinerzieherin etliche Tage später entdeckte, als sie zu mir ins Zimmer kam um mir mitzuteilen, dass sie den Abend außer Haus verbringen werde.

Völlig perplex starrte sie auf die Fotos, nahm eines in die Hand und fragte: »Die kenne ich ja gar nicht, sind die vom letzten Fasching?«

Da reizte es mich urplötzlich zu sagen: »Nein. Mir macht es bloß Spaß, Frauenkleider anzuziehen!«

Eigentlich wollte ich noch hinzufügen: »Wahrscheinlich entwickle ich mich zum Transvestiten«, aber dazu kam ich gar nicht mehr, denn der Alleinerzieherin reichte schon die erste Hälfte der Botschaft. Ganz blass wurde sie um die Nase herum. Das Foto, das sie in der Hand hielt, ließ sie fallen. Es flatterte zu Boden. Die Frau starrte mich an, als wäre ich ein Außerirdischer.

Ich dachte mir: Da schau her! Die nimmt das sichtlich ernst! Irgendwie verblüffte mich dies enorm, aber ich betrachtete es an diesem Tag als gerechte Strafe für sie, weil sie zwei Stunden vorher den Etappen-Sieg des Tages über mich errungen hatte und ich es gewesen war, der Tür knallend das Wohnzimmer verlassen hatte.

So klärte ich sie nicht auf und schaute ihr bloß ungerührt zu, wie sie sich bückte, das Polaroid-Foto mit spitzen Fingern aufhob, auf den Schreibtisch zurücklegte, sich dann wortlos umdrehte und mein Zimmer verließ. Zwar keineswegs Tür knallend, aber hundertprozentig geschlagen.

Zwei Tage später kam dann meine Kusine Eva-Maria angeradelt und erzählte mir ganz aufgeregt, dass unsere beiden Mütter seit vorgestern Nachmittag unentwegt miteinander in Telefonkontakt stünden. Und ihre Mutter ersuche sie jedes Mal, wenn meine Mutter anrufe, das Zimmer zu verlassen. Und dann mache ihre Mutter die Zimmertür zu, bevor sie mit meiner Mutter zu reden anfange. Aber sie habe an der geschlossenen Tür gelauscht und rausbekommen, um was sich diese geheimen Schwestern-Gespräche drehen. Meine Mutter befürchtet, dass ihr Sohn schwul sei! Und heute nach Arbeitsschluss habe sie einen Termin bei einem Psychologen um sich bei dem Rat zu holen.

»O. K.«, sagte ich zur Eva-Maria, »die gute Frau hat erstens genug gelitten und zweitens könnte eine längere psychologische Beratung zu teuer kommen. Ihr Geld ist anderweitig besser angelegt. Wenn sie vom Seelenonkel heimkommt, kläre ich sie auf.«

Und da schaute mich die Eva-Maria ganz sonderbar an.

»Ist was?«, fragte ich sie.

»N---n---nein«, antwortete sie.

»Klingt aber irgendwie eher nach ja«, sagte ich.

Die Eva-Maria zierte sich noch ein bisschen, dann sagte sie: »Vielleicht ist ja auch was dran!«

»Woran dran?«, fragte ich.

Und sie sagte, dass sich die meisten Knaben in meinem Alter entschieden dagegen gewehrt hätten, mit Lockenperücke, Make-up, Frauen-Klamotten und Tennisball-Brüsten vor einer Kamera rumzuposieren. Das wisse sie genau. Das habe sie an etlichen ausprobiert. Ganz empört hätte es ein jeder von sich gewiesen. Aber mir habe das eindeutig großen Spaß gemacht und möglicherweise lasse das doch darauf schließen, dass ich schwul sei. Oder zumindest bisexuell. Sie habe gelesen, dass im Grunde jeder Mensch bisexuell sei, das werde bloß durch die Erziehung verdrängt. Die alten Griechen seien diesbezüglich jedenfalls ohne Skrupel gewesen, bei denen hätten es die Männer ungeniert auch mit hübschen Jünglingen getrieben. Und die Frauen auch mit den Frauen. Das wisse man doch von Sappho! Und eindeutig schwul oder lesbisch zu sein, sei auch nicht so absonderlich, wie borniert, kleinkarierte Menschen tun. Angeblich gebe es bei uns im Land genauso viele Homosexuelle wie Katzen und das sei schließlich eine ganze Menge, mindestens eine Million! Sie selber wisse auch noch nicht exakt, ob sie hetero, bi oder lesbisch sei, weil sich bisher noch keine Möglichkeit ergeben habe das zu überprüfen. Aber es wäre optimal, wenn sie und ich das bald rausbekämen! Sonst heiraten wir und kriegen Kinder und verdrängen unsere echte Veranlagung und die kommt erst dann richtig raus, wenn wir dreißig oder vierzig sind, und dann stehen wir schön blöd da, ich als schwuler Vater mit Ehefrau und sie als lesbische Mutter mit Ehemann.

Also, zuerst einmal dachte ich: Gütiger Gott, nun ist die einzige vernünftige Person, die ich kenne, auch komplett meschugge geworden! Ich habe einfach den Kopf geschüttelt und sie gefragt: »Was ist los mit dir? Hast du eine Aufklärungsbroschüre der Hosi in die Finger gekriegt und missverstanden oder was ficht dich sonst an?« (*Hosi* ist die Abkürzung für Homosexuellen-Initiative. Die hat ein paar Häuser von unserer Wohnung entfernt ein Vereins-Lokal. Darum kenne ich sie.)

»War bloß so eine Idee von mir«, hat die Eva-Maria gesagt. Aber mit einem ganz merkwürdigen Blick hat sie dann noch hinzugefügt: »Warum regst dich denn eigent-

lich so auf drüber? Blockst du vielleicht nicht doch was
ab?«

Seither hat sie nie mehr ein Wort über ihre »Idee« verloren. Aber mir geht sie nun nicht mehr aus dem Schädel. Natürlich verbringe ich keineswegs meine täglichen
siebzehn wachen Stunden damit, darüber nachzugrü-
beln, wie meine Sexualität beschaffen sei. Aber es ver-
geht doch fast kein Tag, an dem mir die Sache nicht ein
paar Mal einfällt. Und das empfinde ich als sehr störend.
Das irritiert einfach einen Menschen, der gern seinen
Kopf für andere Gedanken frei hätte.

4.

Über ein verwirrendes sprachliches Missverständnis,
den inneren Schrebergartenkreis der Hohlköpfe und den
tieferen Grund einsamen Pinkelns.

Ich habe natürlich auch schon versucht mich sexmäßig selbst zu testen. Um irrsinniges Geld habe ich mir zwei dicke Pinup-Magazine gekauft. Eines mit vorwiegend nackten Frauenspersonen, eines mit vorwiegend nackten Männerleibern. Viel hat das wahrlich nicht gebracht, denn weder die nackigen Burschen noch die nackten Fräuleins haben mich in speziellen erotischen Taumel versetzt. Ich konnte selbst nach mehrmaligem Durchblättern der Magazine nicht sagen, ob eines der zwei Geschlechter meine erotische Fantasie mehr beflügelt hatte als das andere, denn mich beflügelte da überhaupt nichts; außer dass ich mir darüber Gedanken machte, warum die Männer alle so eingeölt ausschauten, die Frauen hingegen matt eingepudert. Nur unsinnig rausgeschmissenes Geld war das also!

Ich werde versuchen dem Michael die Magazine mit den Nackerten zu tief reduziertem Preis anzudrehen. Er sagt doch immer, dass er gute »Wichs-Vorlagen« sammelt. Entschuldigung für diesen wenig adretten Ausdruck, aber das ist nun einmal der O-Ton in unserer Klasse. So wird geredet, wenn die Mädchen nicht dabei sind.

Und dann gibt es noch einen »inneren Kreis« von ein

paar Knaben bei uns, die ziehen sich zwecks noch weniger adretter Redensarten sogar in den Pausen in einen Schulhofwinkel zurück. Vorher sagen sie gönnerhaft: »Damit wir unsere unschuldigen Klassenbabys nicht verderben!«

Zu diesen Babys gehöre natürlich auch ich.

Der Michael behauptet, dass sich dieser »innere Kreis« auch einmal wöchentlich zum gemeinsamen Onanieren bei der Großmutter vom Anatol im Schrebergartenhaus trifft. Die Großmutter ist natürlich dann nicht im Gärtlein! Da haben die tollen Knaben angeblich stapelweise »beinharte« Sex-Videos, unerlaubterweise aus dem Nachtkastel des Vaters vom Anatol entliehen, und die schauen sie sich auf Luftmatratzen und Kissen hockend an und vernügen sich dabei gemeinschaftlich mit sich selbst.

Der Alexander hat das dem Michael unter sieben verschwiegenen Siegeln anvertraut und ihm versprochen sich für seine Aufnahme in diesen Schrebergarten-Orgien-Verein einzusetzen. Und wenn er einmal dabei ist, hat der Michael huldvoll zu mir gesagt, wird er versuchen auch mich wenigstens für eine Gast-Mitgliedschaft vorzuschlagen. Aber das habe ich heftig dankend abgelehnt. Ich kann mir erstens nicht recht vorstellen, dass da sehr viel Wahres dran ist. Und falls es wirklich wahr sein sollte, stelle ich mir das zweitens ziemlich komisch vor. Eine Schar Knaben, im Halbrund vor dem Bildschirm hockend, vielleicht gar im Türkensitze, an ihren Gemächten fummelnd und dabei im Chor Lustgestöhne produzierend, das ist ja nicht ernst zu nehmen.

Die Knaben-Runde, die sich im großmütterlichen Schrebergarten-Häuschen vor dem Video-Rekorder versammelt, war sowieso nie ernst zu nehmen. Die hat als Gründungs-Mitglieder die vier wackeren Knaben, die sich schon in der ersten Klasse Gymnasium nach dem Unterricht im Park hinter den Fliederbüschen beim Kinderspielplatz zum sogenannten »Kreuz-Pissen« getroffen haben. Da sind sie einander, an den Eckpunkten eines gedachten Quadrats von etwa hundertachtzig Zentimeter Seitenlänge – gegenübergestanden und haben ihre Wässerchen abgeschlagen. Ziel dieser Veranstaltung mit Publikum war es, dass die vier Urin-Strahle einander im Mittelpunkt des gedachten Quadrates haarscharf gerade nicht treffen, sondern übereinander-untereinander vorbeiflutschen. Ob ihnen das üblicherweise gelungen ist, weiß ich nicht. Ich habe unter den Zuschauern immer nur hinten in der dritten Reihe stehen dürfen und daher nie richtig mitgekriegt, was sich da echt tat. Dabei hätte mich die Sache brennend interessiert. Weniger wegen der Urinstrahl-Aktion, sondern wegen der Größe der strahlproduzierenden Pimmel. Wie lang und wie breit ein solcher zu sein hat um auf ihn stolz sein zu dürfen, war nämlich damals in unserer Klasse unter den Knaben ein ständiges Thema.

Wenn ich mich recht erinnere, war auch die Farbe nicht ganz unwichtig. Jedenfalls wies der Ottokar des

Öfteren enorm stolz darauf hin, dass »seiner« bereits braun sei und nicht baby-rosa wie die unseren. Und da ich den meinen nicht einmal babyrosa, sondern weiß-zartblau marmoriert fand, genierte ich mich furchtbar für ihn.

Ich hätte mir lieber mein Hoserl waschelnass gemacht als in aller Tageshelle und Gegenwart meiner Klassenkollegen zu pinkeln.

Und dann kam noch dazu, dass es damals in unserer Klasse einen dicken Kerl gegeben hat (der ist dann gottlob in eine andere Schule übergewechselt) und der hat mich immer an der Nase gepackt, so zwischen Daumen und Zeigefinger hat er sie gequetscht und gebeutelt und dann hat er irre blöd gekichert und gerufen: »Hä-hä-ha, ein winziges Naserl, ein winziges Zumpferl!«

Diese Bezeichnung für das männliche Geschlechtsorgan war mir aber zu diesem Zeitpunkt völlig unbekannt. Also meinte ich naives Kerlchen, es handle sich bei diesem Wort um einen umgangssprachlichen Ausdruck für ein sehr zierliches Näschen. Und ein solches hatte ich ja!

Der Ausdruck sagte mir irgendwie zu, und als ich dann eines Tages einen fürchterlichen Schnupfen hatte und dadurch vom vielen Schnäuzen eine ganz wunde, gerötete Nase, fragte ich frohgemut bei der Alleinerzieherin an: »Hast du vielleicht eine Salbe für mich zum Einschmieren, mein Zumpferl rinnt und ist schon ganz rot und brennt?«

Und da gackert sie los, dass das ganz schrecklich sei

und dass ich sofort zu einem guten Arzt müsse. Gleich werde sie einen anrufen und einen Termin ausmachen, keinen Tag länger dürfe man so etwas Heikles anstehen lassen, da reiche auch unser normaler Hausarzt nicht, da müsse sie mit mir zu einem Facharzt gehen!

Ich verstehe derart große Aufregung um einen Schnupfen überhaupt nicht und zum Arzt will ich deswegen schon gar nicht gehen, also will ich sie beruhigen und sage: »Übertreib bloß nicht, Mama! Das haben bei uns in der Klasse doch seit ein paar Tagen fast alle. Mich hat garantiert die Verena angesteckt!«

Da kriegt die gute Frau einen Blick, als ob sie sofort in Ohnmacht fallen würde. Da wir beide damals noch nicht miteinander auf verbittertem Kriegsfuß standen, sondern eine liebende Schrumpf-Familie waren, bin ich natürlich besorgt, fasse nach ihrem Händchen und frage bang: »Mamilein, was ist denn? Ist dir nicht gut?«

Und dann muss ich gewaltig niesen und niese direkt auf ihren hellgrauen Seidenblusen-Busen und der kriegt dunkelgraue Rotztupfen und ich sage entschuldigend, weil das eine nagelneue Seidenbluse ist: »Tut mir Leid, Mamilein, aber ich hab mein Zumpferl heute echt nicht unter Kontrolle!«

Da wurde ihr Blick dann wieder einigermaßen normal. Sie hatte kapiert, dass ihr Söhnchen etwas verwechselt haben musste, und sie klärte mich feinfühlig auf, dass es sich bei diesem Wort nicht um die Nase, sondern um »einen unschönen Unterschichtsausdruck« für Penis handle. Und ich klärte sie darüber auf, wodurch ich diesem Irrtum zum Opfer gefallen war. Und sie setzte zu einer länglichen Ansprache an, dass es eine allgemein verbreitete Macho-Idiotie sei, Liebesfähigkeit nach der Länge des Penis zu bewerten, aber das sei völlig falsch, »beim Liebe machen« komme es auf ganz andere Qualitäten als lächerliche Zentimeter-Langen an. Allerlei Schwulst-Zeug brabbelte sie auf mich hin, ich verstand sehr wenig davon, es interessierte mich auch nicht, in mir setzte sich bloß fest: In der Tonart redet sie mit mir immer und den Blick hat sie auch immer, wenn sie mich trösten will. Und wenn ich in dieser Sache Trost brauche, dann hat mein Penis eben nicht die Länge, die, allgemein-verbreitet, von einem ordentlichen Penis erwartet wird! Und das verblüfft einen Knaben, an dem überhaupt nichts in der Länge vorhanden ist, die allgemein-verbreitet für sein Alter erwartet wird, ja nicht besonders, da denkt er bloß abgeklärt: Wäre auch ein Wunder, wenn es nicht so wäre.

Und so setzte ich eben von da an mein intimstes Körperteil keinen Kollegen-Blicken mehr aus. Was in der Schule gar nicht leicht durchzuhalten ist, denn wir Knaben erledigen doch »das kleine Geschäft« nicht wie die Mädchen in Einzelkabinen mit Tür, sondern gemeinschaftlich nebeneinander stehend in Wand-Brunnen. Als Solo-Pinkler muss ich daher, wenn ich Wasserlass-Bedarf habe, entweder ganz schnell nach dem Einläuten der Pause rausrennen, damit ich den Zippverschluss bereits wieder hochziehe, wenn die anderen ins WC reinkommen. Oder ich muss das Ende der Pause abwarten und erst auf den Lokus gehen, wenn die anderen schon wieder zurück in der Klasse sind.

Beide Varianten tragen mir Lehrer-Rügen ein. Entweder heißt es: »Sebastian, nicht die Pausenglocke, sondern der Lehrer beendet die Unterrichtsstunde!«

Oder es heißt: »Auch unser Herr Sebastian könnte sich angewöhnen rechtzeitig zur nächsten Unterrichtsstunde zu erscheinen!«

Sogar an den Sprechtagen haben sich die Lehrer bei der Alleinerzieherin bereits darüber beschwert. Wobei sie mir, verdammt eingleisig denkend wie sie so sind, unterstellt haben, ich sei wahrscheinlich ein total süchtiger Raucher, der es nicht erwarten könne, an den nächsten Glimmstengel zu kommen oder es nicht über sich bringe, den Glimmstengel vorzeitig auszudrücken, wenn die Pausenglocke zum Retourgehen in die Klasse mahnt. Eine absurde Idee, denn ich habe noch nie in meinem Leben eine Zigarette geraucht, mir graust sogar vor Zigarettenrauch, und wenn ich mit der rauchenden Alleinerzieherin und ihrer rauchenden Schwester im Auto ins Wochenende fahren muss, wird mir regelmäßig speiübel vom dicken Qualm im Wagen.

Angeblich hat die Alleinerzieherin versucht den Schul-Wapplern das klarzumachen. Aber große Chance, dass ihr die geglaubt haben, besteht nicht. Meine Mutter gilt bei den Lehrern als eine, die ihr Kind »blind verteidigt«. Das habe ich schon des Öfteren zu hören bekommen. Erst gestern wieder. Da hat unser Mathe-Männchen, nachdem ich mich angeblich »frech« betragen habe, zu mir verbittert gesagt:»Na, deine Mutter vorzuladen, hat ja keinen Sinn, die verehrt dich ja als Genie!«

Was natürlich nicht stimmt, aber dem Dolm das zu erklären, ist nicht meine Aufgabe.

5.

Über Winterbirnen und Fallobst, das Entstehen eines
außergewöhnlichen Berufswunsches und die damit
verbundenen Folgen für eine Knabenfreizeit.

Aber nun bin ich total abgeschweift. Also zurück zu
den sündteuren, bebilderten Erotik-Magazinen, welche
mir bezüglich meiner Sexualität keinerlei Erleuchtung
brachten! Ich wog auch ab, ob ich möglicherweise gar
keinen Sexualtrieb haben könnte. Oder nur einen minimal ausgeprägten. Das verwarf ich dann wieder, weil mir
nächtliche Stunden doch schon oft das Gegenteil bewiesen hatten. Allerdings spielt sich meine nächtliche Sexualität ausschließlich im Schlafe ab. Möglicherweise begleitet von sehr passenden Träumen. An diese kann ich
mich des Morgens jedoch überhaupt nicht mehr erinnern. Bloß meine Leintücher zeugen steifgefleckt vom
Vorgefallenen.

Wie auch immer, ich tröstete mich: Knabe, du bist po-
tent! Dir gibt halt in deinen wachen Stunden bloß Papier
nichts! Du stehst nicht auf Abbildungen! Du brauchst
real existierende Leiber! Und du bist eben noch nicht in
dem Alter, wo sich dir solche anbieten.

Damit beruhigte ich mich wieder einigermaßen. Bur-
sche, du bist ja noch jung, sagte ich mir. Du reifst halt,
sagte ich mir, etwas langsamer als andere Knaben. Du
bist wahrscheinlich, sagte ich mir, so eine Art Winterbir-
ne. Eine von der Sorte, die erst gegen Jahresende saftig

wird, und die blöden Burschen in deiner Klasse, die sind frühreifes Sommer-Fallobst, längst gatschig, wurmig, wespenzernagt und von innen verfault, wenn du dein volles Aroma entwickelt haben wirst.

Derart beruhigt, musste ich nicht mehr dreimal täglich zwanghaft darüber sinnen, ob ich – um im Gleichnis zu bleiben – vielleicht überhaupt keine Birne, sondern ein Apfel sein könnte. Und so war ich fähig meine Gedanken wieder intensiver meinem Lieblings-Thema, der Philosophie, zuzuwenden. Die Philosophie ist mir sehr wichtig. Seit ich sechs Jahre alt bin, beabsichtige ich nämlich Philosoph zu werden. Anfänglich war auch dieses bloß ein Irrtum, ein saudummer. Sichtlich haben Irrtümer in meinem Leben einen weit höheren Stellenwert als bei anderen Menschen. Möglicherweise deshalb, weil mehr Denken eben auch zu mehr Irrtum führt.

Ich wollte ja nur schlichter Gärtner werden. Meine gute Frau Großmutter lebte damals noch und die hatte einen uralten Freund, der war Besitzer einer kleinen Glashaus-Gärtnerei, in welcher er hauptsächlich Philodendren zog und an einen Blumengroßhändler verkaufte. Philodendren sind diese wuchernden Stauden mit den vielen Luftwurzeln und den schlitzlöchrigen Blättern, die auf schmale Stanitzel zusammengerollt, zartgrün das Licht der Welt erblicken und sich dann zögerlich entfalten, wobei man, wenn man genug Geduld hat, zuschauen kann.

Meine Großmutter nahm mich hin und wieder in die

Glashaus-Gärtnerei mit. Der Gärtner-Freund saß dann mit ihr zwischen all dem Grünzeug und sie redeten über Gott und die Welt, das Leben und die Menschen, die Moral und die Unmoral, die Vergangenheit und die Gegenwart, die unerfüllten Hoffnungen und die nicht zu verhindernden Enttäuschungen. Und wenn wir hinterher mit der Straßenbahn wieder heimfuhren, sagte meine Großmutter von ihm oft: »Weißt du, Sebastian, der Mann ist halt ein echter Philosoph!«

In meinem Kinderkopf vermurksten sich die Wörter Philosoph und Philodendron und ich meinte, wer Philodendren züchtet, sei ein Philosoph. Und da mir der Beruf eines Philodendron-Züchters als ein recht erfreulicher, wenig mühsamer erschien, fasste ich ihn damals für eine geruhsame Zukunft ins Auge. Garantiert hätte ich ein paar Monate später wieder einen anderen Beruf ins Auge gefasst, sechsjährige Kinder wechseln doch dauernd ihre Berufswünsche. Aber wenn mich wer fragte: »Na, was willst du denn einmal werden, kleiner Mann?«, hatte ich mit »Ich werde später einmal ein Philosoph« ungeheuren Erfolg.

So blieb ich diesem Berufswunsch treu. Freut einen kleinen Knirps doch, wenn die Leute ganz begeistert über seine Aussagen in die Hände klatschen. Dass sie dabei höchstwahrscheinlich einander zugegrinst und diskret gekichert haben, scheint mir Winzling entgangen zu sein.

Hat wahrscheinlich bei allen als »entzückender, altkluger Kindermund« gegolten. Das ist eben ein Ausgleich für die Last der Kinderaufzucht, wenn sich die Erwachsenen über den dummen Nachwuchs schief amüsieren können!

Aber eines Tages dann bin ich von selbst dahinter gekommen, dass ein Philosoph kein Gärtner ist; weil nämlich einer zu uns nach Hause auf Besuch gekommen ist. Der war eine der vielen amourösen Kurzzeit-Beziehungen, die meine Frau Mutter zu dieser Zeit pflegte. Als er in unserem Wohnzimmer Platz und sein Gin Tonic mit Zitrone entgegengenommen hatte, fragte ich ihn gleich, wie man am besten vorgehen muss um einen abgeschnittenen Philodendronstängel schnell Wurzeln schlagen zu lassen. Ob unsere Putzfrau wirklich Recht habe, wenn sie behaupte, ein Stück Würfelzucker und ein Aspirin beschleunigten diesen Vorgang gewaltig. Und da sagte er, es tue ihm schrecklich Leid, mir nicht dienen zu können, aber von solchen Sachen habe er überhaupt keine Ahnung, da solle ich besser einen Gärtner fragen.

Und meine Mutter sagte zu mir: »Bastilein, so was weiß er doch nicht, er ist Philosoph. Philosophen, die denken nur, ansonsten sind sie lebensfremd!« Und dabei zupfte sie den Kerl neckisch an einem Ohrläppchen.

Da dämmerte mir, dass da etwas nicht stimmen kann! Ich begab mich hurtig in meiner Mutter Arbeitszimmer zum vierundzwanzigbändigen Lexikon und schlug unter Philosophie nach. Da stand Spalten füllend jede Menge für mich unverständliches Zeug. Aber dass kein

Wort von Gärtnerei darunter war, erkannte ich schon. Und dann schlug ich irritiert unter Gärtnerei nach und dort stand allerhand halbwegs verständliches Zeug, aber kein Wort von Philosophie. Woraus ich messerscharf den Schluss zog, dass ich mich auf geistigen Abwegen befunden hatte.

Doch ich blieb hartnäckig weiter dabei, Philosoph werden zu wollen, denn hätte ich meinen Berufswunsch von einem Tag auf den anderen geändert und mich zum künftigen Gärtner gewandelt, hätte man mich ja gefragt, warum. Und nie im Leben hätte ich zugegeben, welchem Irrtum ich da unterlegen war. Zuzugeben, dass ich mich geirrt habe, war nie meine Stärke und wird es auch wohl nie werden.

Aber ich fühlte mich von da an gedrängt nun wenigstens zu kapieren, für welchen Beruf ich mich entschieden hatte. Soweit ich mich noch daran erinnere, habe ich mich auch hart damit herumgeschlagen. Allein schon deswegen, weil sämtliche Bücher aus den Bücherregalen meiner Mutter, in denen ich mich kundig zu machen versuchte, so winzigkleine Buchstaben hatten und die Zeilen so eng aneinander standen.

Ein Volksschüler ist nicht gewohnt sich durch so etwas durchzulesen. Was die Inhalte des damals Gelesenen angeht, sind meine Erinnerungen vage. Ich glaube, ich habe mich verhalten wie jemand, der sich ohne Schwimmlehrer selbst das Schwimmen beibringt. Und es dann auch irgendwie hinkriegt, dass er im tiefen Wasser nicht absäuft, sondern oben rumrudert. Aber sein »Stil« ist halt ein eigenartiger, offiziell nicht anerkannter.

Was ich mir da in den ersten Jahren meiner Philosophen-Laufbahn alles zusammengerudert habe, kann ich nicht mehr sagen. Aber unlängst, als ich auf Befehl unserer Putzfrau Swetlana den großen verstaubten Karton unter meinem Bett hervorholte – weil die Emsige auch diese zwei Quadratmeter Parkett mit Zitrus-Stinkwachs imprägnieren wollte – fand ich bei Durchsicht des Karton-Inhalts ein kleines blaues Schulheft. In meiner Volksschüler-Handschrift steht auf dem rot umrandeten Schildchen auf dem Umschlag: *Philosophia*. Auf die erste gestreifte Seite habe ich in Schönschrift gemalt: »Die Philosophie ist die Liebe zur Weisheit.« Und auf der zweiten Seite, auch so schön geschrieben, als ob es um ein Poesie-Album ginge, steht:

»Allein Gott ist weise, die Menschen können nur danach streben, weise zu werden.«

Und darunter, weit weniger poesiealbumschön und wohl auch an einem anderen Tag geschrieben, weil mit einer ganz anderen Feder: »Aber wenn es Gott überhaupt nicht gibt, ist niemand weise, dann gibt es auch keine Weisheit.«

Alle anderen gestreiften Seiten, bis auf die letzte, sind unschuldig leer. Auf der letzten Seite, hauchzart mit Bleistift hingekritzelt, steht: »Philosophie ist die Kunst des Denkens.« Und darunter in Klammern, mit fünf Fragezeichen dahinter: »Und was ist Kunst?«

Das heißt aber nicht, dass ich mir damals nicht viel mehr zur Sache gedacht habe. Ich habe nur sehr ungern geschrieben. Es ist mir einfach zu langsam gegangen und meine kleinen Fingerchen haben mir vom Füllfederhalten sehr bald wehgetan. Ich habe oft davon geträumt, dass endlich jemand eine Maschine erfindet, die alles Gedachte, eins zu eins, also im gleichen Tempo, aufschreibt.

Einmal habe ich meiner Mutter diesen Bedarf vorgetragen und sie hat gemeint, ich solle doch einfach auf Tonband reden, das gehe schneller als schreiben. Und das Gesprochene dann abhören und auf seine Richtigkeit kontrollieren sei auch weniger mühsam als lesen. Sie mache das berufsmäßig seit Jahren so. Sie spreche alles auf Tonband und ihre Sekretärinnen tippen es hinterher in die Computer rein.

Aber meine Tonbandversuche waren der totale Flop. Die haben mich bloß unheimlich deprimiert, weil ich dahinter gekommen bin, dass meine Gedanken selten vernünftige Sätze gewesen sind. Auf dem Weg vom Hirn zum Mund sind die meisten gescheitert. Was ich für einen glasklaren Gedanken gehalten hatte, wurde zu einem unklaren Satz, wenn nicht überhaupt zu sinnlosem Gebrabbel. Und meine Stimme war mir auch total zuwider, die hörte sich so piepsig an und war mir völlig fremd.

So habe ich das wenigstens in Erinnerung. Ein bequatschtes Tonband aus dieser Zeit besitze ich nicht, aus lauter Frust habe ich die Bänder immer gleich nach dem Abhören gelöscht.

6.

*Von einer mich erhellenden Fernseh-Weisheit und einer
lebensnahen, daher zum Scheitern verurteilten Überprüfung.*

Dass ich total niedergewummert von all den Schwierig-
keiten, die ich mit ihr hatte, der Philosophie nicht
»baba« sagte und mich entschloss Astronaut, Formel-1-
Fahrer oder Video-Künstler zu werden, liegt garantiert
nur daran, dass ich eines Abends neben der Alleinerzieherin vor dem Fernseher saß, als sie sich eine TV-Dis-
kussion reinzog. Die hatte irgendetwas mit »Jugend
heute« zu tun. Interesse an dem Gequatsche hatte ich
nicht, denn wenn sechs Greise beiderlei Geschlechts zusammensitzen und über die Jugend klug reden, ärgert
mich das. Hat sie schließlich keiner meines Alters dazu
autorisiert! Außerdem glotze ich normalerweise überhaupt nicht gemeinsam mit meiner Mutter in einem
Raum. Seit eh und je nicht. Wenn sie fernschaut und
auch mir der Sinn danach steht, gehe ich in mein Zimmer. Obwohl der Fernseher dort bloß einen klitzekleinen Schwarzweiß-Bildschirm hat. Auch wenn wir beide
die gleiche Sendung sehen wollen, halte ich das so. Die
Frau kann nämlich nicht stumm schauen! Entweder
kommentiert sie unentwegt, was sie gerade sieht, oder
sie sagt vorher, was wir gleich sehen werden, oder – noch
schlimmer – sie redet über ganz was anderes.

Es muss also wahrlich ein Wink des Schicksals gewesen sein, der mich an diesem Tag neben der Alleinerzie-

herin auf dem Sofa Platz nehmen ließ. Und da war ein sehr alter, sehr schöner, sehr weißbärtiger Mann in dieser TV-Runde, der stritt sich mit allen anderen herum, weil er nämlich als Einziger nichts gegen die Jugend der 90er einzuwenden hatte, und dann – in welchem Sinnzusammenhang das geschah, ist mir entfallen – sprach er milde: »In jedem Menschen philosophiert es, ob er das weiß und will oder nicht!«

Das hat bei mir eingeschlagen wie drei Kugelblitze. Ich bin aufgesprungen, in mein Zimmer gerast und habe den Satz mit riesengroßen Buchstaben und extradickem Filzschreiber auf einen Bogen Packpapier gemalt. Und den Bogen Packpapier habe ich mit Reißzwecken über dem Kopfende von meinem Bett festgemacht.

Seither sind fast zwei Jahre vergangen und der Packpapierbogen hängt noch immer dort. Jeden Abend, wenn ich mich ins Bett lege, starre ich den Satz von unten her an und er fasziniert mich immer noch genauso wie am ersten Tag!

Die Alleinerzieherin hat sich natürlich schon des Öfteren über meinen Packpapier-Satz mokiert. Ganz so einfach, hat sie mir vorgehalten, dürfte man es sich mit der Philosophiererei auch wieder nicht machen. Philosophieren sei ein bewusster Akt! Meinem Packpapier-Leitsatz nach könnte sich doch jedermann aufs weiche Lager flötzen, die Augen schließen und sich gar nichts denken, außer beruhigt: »Fein, fein, jetzt philosophiert es wieder prächtig in mir!«

Ich gebe ihr auf solche bösartigen Bemerkungen gar keine Antwort mehr. Ich habe mir längst abgewöhnt ihr meine besseren Gedanken und Gefühle zu unterbreiten. Sie ist freilich, objektiv gesehen, gar keine dumme Person und schon gar keine ungebildete. Aber erstens neigt sie dazu, bei Bedarf unverfroren alles gegen mich zu verwerten, was ich ihr anvertraut habe, und zweitens ist die Frau ein Sieb! Die kann nichts bei sich behalten, ungefiltert rieselt alles durch sie durch. Nicht einmal gegen flüchtige Bekannte erweist sie sich als dicht. Was man ihr erzählt, sie erzählt es weiter. Natürlich gibt sie es nicht zu. Aber in jüngeren Jahren ist es mir immer wieder passiert, dass ich gemerkt habe: Jeder, den sie kennt, weiß von mir, was sie von mir weiß.

Kleines Beispiel: Ich war zehn Jahre, gerade ins Gymnasium eingetreten und angetan von einer jungen Aushilfs-Musiklehrerin. Weil uns diese Dame Pop, Rock und Jazz vom Tonband spielte und mit uns darüber redete. Für einen Knaben, der eben der Volksschule entsprungen war, wo er »Froh zu sein bedarf es wenig ...« im Kanon hatte singen müssen, sehr erstaunlich! Da die junge Aushilfs-Dame von uns Schülern mit ihrem Vornamen, der Desiree lautete, angesprochen werden wollte, berichtete ich der Alleinerzieherin eben des Öfteren, wohl auch etwas schwärmerisch, von der Desiree. Als ich dann einmal meine Mutter vom Büro abholte und im Zimmer der Sekretärin ihrer harrte, weil sie noch einen Klienten drinhatte, sagte die Sekretärin zu mir, dass sie ein Kind erwarte, hoffe, dass es ein Mädchen werde, und wenn sich die Hoffnung erfülle, werde sie es Mercedes nennen. Und ich fragte sie, warum sie es nicht gleich BMW oder Golf taufe. Und sie antwortete drauf schnippisch: »Na ja, Desiree würde dir wohl mehr zusagen!« Und kicherte dabei wie die Blöde.

Nun kann man sagen, das sei nichts Außergewöhnliches. Mütter plappern eben über ihre Kinder drauflos, nach dem Motto: Wem das Herz voll ist, dem geht der Mund über! Weniger heikle Kinder als ich verzeihen solche Entgleisungen auch. Aber für mich ist das ein echter Vertrauensbruch. Und da ist es eher kontraproduktiv, wenn dann die Alleinerzieherin, von mir zur Rede gestellt, beteuert, dass sie »die ernsten Sachen« garantiert nicht weitererzähle, denn das heißt doch nur, dass sie neunundneunzig-komma-neun Prozent von dem, was ich ihr erzähle, nicht ernst nimmt.

Aber Schwamm drüber, das ist Schnee von vorgestern! Apropos vorgestern: Vorgestern hatte ich beschlossen meine Überlegung, dass mich bloß auf Papier abgebildete, nackte Leiber nicht sexuell stimulieren, aber lebendige Leiber möglicherweise doch, zu überprüfen. Mutterseelenallein wollte ich das aber nicht angehen. Also rief ich am Abend die Eva-Maria an und fragte sie, ob sie Lust habe ein wenig bummeln zu gehen. In der City. Sie hatte keine spezielle Lust, aber sie war mir zu Willen. Wir trafen uns vor der U-Bahn-Station.

»Was willst du denn unternehmen?«, fragte mich die

Eva-Maria. Dem neugierigen Glitzern ihrer Äuglein war anzumerken, dass ihr sonnenklar war: Mein Kusin hat heute etwas Besonderes vor! Also machte ich keine weiteren Umschweife und sagte: »Ich möchte mir den Männer-Strich anschauen.«

Sie zog die linke Augenbraue hoch und fragte: »Warum denn dieses?«

Ich antwortete: »Um zu erkunden, ob mich männliches Angebot, be-zet-we männliche Nachfrage sexuell animieren.«

»Warum hat das auf dem untersten Level erkundet zu werden?«, fragte sie.

»Wenn man vom untersten Niveau aus Einblick bekommt«, erklärte ich, »überblickt man ein Problem in seiner Gesamtheit am besten.«

Sie wandte ein: »Was von unten durchsichtig ist, ist es von oben genauso.«

Ich widersprach: »Der Blick trübt sich im Quadrat zur Entfernung, um den Bodensatz genau zu erkennen musst du unten forschen.«

»Und warum soll an einem Problem der Bodensatz das Wichtigste sein?«, fragte sie.

So begriffsstutzig ist sie sonst nie! Also musste ich direkt werden: »Ganz einfach! Stößt mich der Männer-Strich nicht ab, wäre das ein deutlicheres Indiz, als wenn mich ein edler Knabe unserer unschuldigen Kreise anzieht.«

Sie kicherte. »Und dann visitieren wir den Damen-

Strich und der stößt dich auch nicht ab und du bist um nichts klüger als vorher.«

Die U-Bahn kam in die Station gefahren, die Eva-Maria und ich stiegen ein. Der Wagen war ziemlich leer, wir konnten ungestört unseren Disput fortsetzen, ich tat es, indem ich mir ans Brüstchen schlug und rief:»Was tue ich auf dem Damen-Strich, außer mir von einer Netzstrumpf-Domina sagen zu lassen, dass ich mir die Nase putzen und heim zur Mutti gehen soll?«

Meine Kusine betrachtete mich kurz, fand sichtlich, dass meine Frage keiner Antwort bedürfe, und erkundigte sich dann:»Wo ist dieser Männer-Strich?«

»In jedem besseren öffentlichen Herren-WC in der City«, sagte ich, denn davon hatte ich in Zeitungen gelesen und den Alexander hatte ich in der Klasse zum Michael sagen gehört, dass ihm im Lokus neben der Cindy-Bar ein schwuler Yuppie mit Rudolfo-Valentino-Frisur einen indezenten Antrag gemacht habe. So fügte ich an: »Auf alle Fälle im Herren-Häusel bei der Cindy-Bar.«

»Aber da darf ich doch nicht rein!«, protestierte sie.

»Wartest eben davor«, sagte ich.

»Ich bin nicht gern Statist«, sagte sie.

»Bist kein Statist«, sagte ich.»Musst mir doch nachher garantiert Händchen halten.«

Bei der Station Karlsplatz stiegen wir aus, durchquerten etliche Ansammlungen von Baby-Giftlern und Sandlern, strebten einen halben Kilometer Laden-Passage entlang und die Rolltreppe hoch.

Ich hatte gedacht die Cindy-Bar spielend zu finden. War ein Irrtum gewesen. Ich bin nicht arg oft in der City drinnen. Irgendwie kamen mir die Gassen durcheinander. Gut eine halbe Stunde liefen wir herum, dann suchten wir eine Telefonzelle auf und schlugen im zerfledderten Telefonbuch unter C nach. Versehen mit der richtigen Adresse, gelang es uns, zum öffentlichen WC auf dem kleinen Platz neben der Bar zu kommen. Es handelte sich um ein Keller-Häusel. Herren-WC und Damen-WC hatten getrennte Abgänge. Wir drehten langsam eine Runde um die Häusel-Abgänge. Ich hätte noch gern eine zweite Augenschein-Runde gedreht, aber die Eva-Maria fragte spitz: »Musst du dich vielleicht erst warm laufen?« Also trug ich ihr auf sich auf die Bank in der Mitte des Platzes zu setzen und meiner zu harren. Dann stieg ich die sechzehn Stufen zur Herren-Häuseltür runter. Die Knie zitterten mir ein bisschen dabei, aber ich nehme an, dass die nur innerlich zitterten und es meinem Gang nicht anzumerken war.

Im Häusel-Vorraum roch es süßlich nach Karbol und erstaunlicherweise auch säuerlich nach Gemüsesuppe. An einer Kachelwand waren zwei Kondom-Automaten, ihnen gegenüber eine altmodische Personenwaage. Über einem Kondom-Automaten klebte ein Streifen mit der Aufschrift: Außer Betrieb.

Dahinter, im Pipi-Raum, waren an zwei Seiten Wandbrunnen fürs Pieseln, an der dritten Seite vier Türen zu Einzelkabinen. An den Türen waren kleine Apparate zum Münzeneinwerfen. Aber keine Tür war richtig geschlossen. Zwei waren halb offen, die anderen zwei einen Spalt.

Bei den Pieselbrunnen stand ein Mann und ließ es rieseln. Er drehte sich nicht nach mir um. Unschlüssig dachte ich: Jetzt ziehe ich mich einmal zum Überlegen meines weiteren Vorgehens in ein Einzelabteil zurück. Ich betrat eines mit halb offener Tür und schloss diese. Eine Sekunde später hatte ich sie wieder aufgerissen, denn in die Klo-Schüssel war ein riesiger, fast schwarzer Haufen geschissen, der mit einem braun gestreiften Stück Zeitungspapier gekrönt war. Ich entfloh der Sauerei und wollte in das andere Abteil mit halb offener Tür. Doch in dem war, rund um die Klo-Schüssel, ein gelb schimmernder See, in dem Zigarettenstummel ersoffen waren. Das animierte mich auch nicht zum Verweilen, so versuchte ich mein Glück bei der dritten Tür. Ich stieß sie auf. Ein Jüngling saß auf der Klo-Schüssel, glotzte mir trunkentrüb entgegen und fragte, ob ich einen »Zwanz'ger« für ihn habe. Er war kaum älter als ich, aber soweit man das beim Reden sehen konnte, fehlte ihm jeder zweite Zahn. Und soweit man seine Arme sehen konnte, waren sie schwarz-rot-tätowiert. Ich griff in meine Hosentasche nach einem Zwanziger, zog leider einen Fünfziger heraus, genierte mich aber, den wieder einzustecken und übergab ihn dem Schüssel-Hocker. Der lobte mich. Ich sei eine »gute Haut,« mömelte er.

Der Mann beim Wandbrunnen, der inzwischen sein

kleines Geschäft beendet und meine Spendenwilligkeit mitbekommen hatte, erregte sich. Ich dürfe mein Taschengeld, das sich mein Vater im Schweiße des Angesichts verdient habe, nicht an Abschaum verschleudern! Und überhaupt solle ich »zu Hause wischerln«, nicht hier, wo Drogensucht lauere. Dann keifte er auf den Schüssel-Hocker unflatig los. Der jammerte retour, dass man ihn in Frieden lassen möge, es sei ihm schon kotzübel genug. Mir war das peinlich. Aber so schnell aufgeben wollte ich auch nicht! Ich biss die Zähne zusammen und wandte mich der letzten Tür zu. Aber die ließ sich nur ein paar Zentimeter weiter aufdrücken, dann spürte ich Widerstand! Der entrüstete Keifer unterbrach die Beschimpfung des Schüssel-Hockers und belehrte mich: »Da hat sich so ein Gfrast schlafen gelegt!« Dass er Recht hatte, merkte ich, als ich zu Boden sah. Die Türen der Abteile reichten nicht bis ganz runter. Zwischen Boden und unterer Türkante war ein breiter Sicht-Schlitz. Hinter dem erkannte ich grün-gelb karierten Stoff, prall gespannt. Ich stupste ein wenig mit der Schuhspitze dagegen. Was sich unter dem Karo-Flanell befand, gab elastisch nach. Könnte Menschenbauch gewesen sein! Das reichte mir, ich verließ das Männer-WC und rannte die sechzehn Stufen hoch.

Die Eva-Maria saß nicht auf der Bank. Direkt vor der Treppe stand sie. »Wie war's?«, empfing sie mich.

»Vergiss es«, sagte ich und zog sie, tief durchatmend, vom Häusel weg. »Nichts wie Scheiße und Brunze!«

»Bei einem Klo nicht erstaunlich«, kicherte sie. Dann teilte sie mir vergnügt mit, dass sie, während ich mein Frust-Erlebnis gehabt hatte, von zwei älteren Herren je ein unzüchtiges Angebot erhalten habe. Zudem habe sie bemerkt, dass bei den Kastanien am Ende des kleinen Platzes ein junger Mann von zwei älteren Männern angesprochen worden sei, der erste ältere Mann sei wieder abgedampft, der zweite sei zusammen mit dem jungen Mann weg. Sie habe keine Erfahrung in solchen Sachen, aber möglicherweise sei der Strich vom Klo unter die Kastanien verlegt worden. Falls ich die Absicht habe mich nun unter den Kastanien aufzustellen, möge ich es allein tun, sie gehe jetzt Eis essen. Nach Eis stand mir nicht der Sinn, aber ich trottete brav mit und ließ mir von ihr mein Pfirsich-Melba bezahlen, mein Fünfziger war ja im WC geblieben.

Mitten im Eismampfen ließ sie das Löffelchen sinken, schaute mir ins Blauauge, hob den Zeigefinger und sprach: »Lass es dir eine Lehre sein! Besser man grübelt, bevor man dübelt!«

Dem galaktischsten Denker seiner Generation solches zu sagen, war eine Frechheit, aber keine unverdiente. Was ich mir von der Häusel-Tour eigentlich erwartet hatte, war mir ja inzwischen selbst schleierhaft.

7

*Von einer untergeordneten Maschinistin und einem
übergeordneten Maschinisten der staatlichen
Trivialisierungsmaschine und der Alleinerzieherin reifer
Leistung.*

Heute trug sich in der Schule Seltsames zu. Anders kann
ich diese Begebenheit nicht einordnen. Wir hatten Ge-
schichtsunterricht, die Kieferstein dozierte über Frei-
heit-Gleichheit-Brüderlichkeit und wie ihrer Meinung
nach alles schief gelaufen war in der Französischen Re-
volution und diese hehren Werte missbraucht worden
waren. Ich dämmerte vor mich hin und machte mir eigene Gedanken anhand unserer Schülerzeitung, welche ich
unter dem Pult durchblätterte. In diesem monatlich er-
scheinenden 16-Seiten-Blatt gibt es Cartoons, gezeich-
net von Schülern, die sich für grafisch begabt halten. Jeder dieser Cartoons war eine Abscheulichkeit, vom
zeichnerischen Standpunkt her das Letzte vom Aller-
letzten, auf dem Niveau Billig-Witzblatt von vorgestern.
Also überlegte ich mir, wieso halbwegs vernünftige Ge-
schöpfe derart mies zeichnen und das Produkt auch
noch für veröffentlichungswert halten und die Redaktions-
ons-Kollegen diese Dinger drucken ohne sich dafür bei
den Lesern zu entschuldigen. Und da kam ich zu dem
Schluss, dass des Menschen Kreativität, egal, ob es sich
ums Zeichnen, Schreiben, Musizieren, Tanzen oder
sonst was handelt, vom Schuleintritt an zu Grunde ge-

richtet wird. Und nicht nur den musischen Talenten geht es so, auch der Denkfähigkeit, soweit diese der Fantasie bedarf. Schule ist schlicht das staatliche Institut, in dem Menschen auf Mittelmaß gedrillt werden! Und da fiel mir ein, dass der passende Ausdruck für Schulen»Trivialisierungsmaschinen« wäre. Gerade, als ich das vor mich hindenke, keift die Kieferstein: »Sebastian, starre nicht Löcher in die Luft, arbeite gefälligst mit!« Und ich antwortete: »Okay, Frau Trivialisierungsmaschinistin!« Ist mir einfach rausgerutscht, ohne böse Absicht. Sie runzelt die breite Stirn und fragt: »Was hast du da gesagt?«

Ich wiederhole brav, nun allerdings schon mit ein wenig böser Absicht, sie verdoppelt die Stirnrunzeln und fragt: »Wie bitte, meinst du das?«

Worauf ich laut erkläre, was ich mir zuvor zusammengedacht hatte, ihre Runzelstirn färbt sich knallrot, Wangen und Kinn samt Halse ebenso, bloß ihre Spitznase bleibt weiß und sie brüllt mich an: »Raus mit dir, raus aus der Klasse!«

Das lasse ich mir nicht zweimal sagen, schnappe die Schülerzeitschrift, nicke den Kollegen und der geröteten Trivialisierungsmaschinistin zu, verlasse das Klassenzimmer, hocke mich der Tür gegenüber auf das breite Fensterbrett und schaue mir weiter die dümmliche Postille an.

Und wer kommt da den Gang von der Treppe her gewatschelt? Unser Hofrat, der Direktor des Etablissements! Eine Rarität, dass sich der Mann per pedes in der

Schule bewegt. Er hat garantiert hundertfünfzig Kilo, die sind aber fast zur Gänze auf Kopf und Rumpf verteilt. Seine Beinchen sind mager, seine Fußerln klitzeklein, wenn's hoch kommt, Schuhgröße 38. Wenn man so gebaut ist, fällt einem der aufrechte Gang schwer. Unsereiner kennt ihn bloß hinter seinem Schreibtisch hockend und vor sich hin schnaufend, gelegentlich sich auch aus einem kleinen Behältnis etwas in den Mund sprühend, von wegen Asthma.

Unter den Schülern geht das Gerücht, dass der Hofrat des Morgens um sieben in einer Sänfte in die Kanzlei getragen wird und des Abends, wenn Schüler und Lehrer außer Haus sind, in der Sänfte wieder abtransportiert wird. Eine hübsche Vorstellung, überhaupt wenn man sich seine zwei ebenfalls dickleibigen Töchter als Sänftenträgerinnen dazudenkt.

Meine Anwesenheit auf dem Fensterbrett wäre dem Hofrat wohl entgangen, weil er gesenkten Blickes watschelte und der Gang ein breiter ist, aber als höflicher Knabe, der ich bin, grüßte ich ihn so artig wie laut. Er blieb vor mir stehen und fragte schnaufend: »Sebastian, wieso bist du nicht in der Klasse?« Der Hofrat kennt nur wenige Schüler beim Namen. Bloß die, mit denen er sich des Öfteren nach Lehrerklagen zu befassen hat. Meinen Namen kennt er gut.

Ich sagte ihm, dass mich die Kieferstein rausgeworfen habe, und fragte ihn, ob sie das eigentlich dürfe.

Ob er die Absicht hatte meine Frage zu beantworten,

weiß ich nicht, denn die Klassentür ging auf und die Kieferstein schaute raus. Die hatte wohl gehört, dass sich da auf dem Gang was tat, und wollte Nachschau halten. Sie sieht ihren Chef, jappelt auf ihn zu und berichtet ihm armfuchtelnd von Frechheiten, die sie sich nicht bieten lasse, sie sei kein Freiwild für pubertierende Rohlinge, auf dem man rumtrampeln dürfe. Tränen treten in ihre Augen, irgendwas von einem eh viel zu hohen Blutdruck sprudelt sie raus, plötzlich machte sie einen Satz auf mich zu, stößt mir ihre Rechte in die Brust und kreischt: »Grinse nicht auch noch frech!«

Mir ist der spitze, kiefersteinische Zeigefinger am Brustbein unangenehm. Noch unangenehmer ist mir, dass die Frau beim Kreischen wie ein Spritzbrunnen Speicheltröpfchen von enormer Reichweite versprüht, die mir die Wangen nässen. Denen und dem Spitzfinger will ich entgehen und weiche mit dem Oberkörper ruckartig zurück. Hätte die Fensterscheibe, an welcher ich lehnte, nicht bereits vom linken unteren bis zum rechten oberen Eck einen dicken Sprung gehabt, wäre garantiert überhaupt nichts passiert. Da sie diesen Sprung jedoch seit Wochen hatte, barst sie. Und da diese Fensterscheibe zudem seit Jahren nur noch von einem Minimum ausgetrockneten Kitts im Rahmen festgehalten worden war, sauste sie, auf etliche große Scherben zerbrochen, mit Geschepper in den Schulhof runter.

Aus den Augenwinkeln linsend stellte ich fest, dass nicht mal mehr der klitzekleinste Scherben im Fensterrahmen steckte, daher auch keine Gefahr bestand sich an einem solchen zu verletzen. Also beugte ich mich noch weiter zurück und ließ meinen Oberkörper aus dem Fenster hängen.

Völlig lächerlich, dass da auch nur ein Hauch einer Absturzgefahr bestanden hat! Das Fensterbrett ist über sechzig Zentimeter breit und ich saß bequem drauf, mit abgewinkelten Beinen, deren Unterschenkel fest an der Wand unter dem Fensterbrett ruhten. Es war nicht mehr als eine Gymnastikübung zur Stärkung der Bauchmuskulatur; eben mit der oberen Körperhälfte in freier Luft, sieben oder acht Meter vom Erdboden entfernt. Aber der Hofrat und die Kieferstein drehten durch. Da ich Kopf-nach-unten baumelte, konnte ich leider nicht sehen, wie sich die zwei aufführten. Ich hörte sie nur kreischen, beziehungsweise schnaufen, und spürte zweierlei Schmerz in meinen Oberschenkeln. Im rechten einen drückenden, im linken einen stechenden. Wie ich nachher merkte, übten die Würstelfinger vom Hofrat den drückenden Schmerz aus, die Spitzfinger der Kieferstein den stechenden. Dann rumpelte mein Rücken über das Fensterbrett, dass alle Bandscheiben quietschten, hernach ratterte mein Schädel drüber, schließlich plumpste ich – hart aufs Steißbein fallend – hinter dem Fenster auf den Kachelboden runter und der Hofrat und die Kieferstein hatten noch immer meine lang gestreckten Beine umklammert und waren neben mir zu Boden gegangen. Wo sie, nun beide schnaufend, knieten. Zu dritt waren wir auch nicht mehr. Alle Kollegen waren aus der Klasse rausgekommen und standen im Halbkreis um uns herum.

Die Kieferstein kam aus eigener Kraft hoch. Den Hofrat mussten der Michael und der Alexander hochreißen und auch noch stützen, als er senkrecht stand. Anscheinend hatte ihm die Einholungs-Aktion meiner Person derart zugesetzt, dass er kein Wort rausbrachte. Mehrmals öffnete er den Mund, es kam aber nur ein Zischen raus. Dann tat er mit einem Dickhändchen vage Bewegungen, die nach »Baba«-Winken aussahen, drehte mühsam seine hundertfünfzig Kilo Richtung Treppe und wankte dieser – vom Michael und vom Alexander unterstützt – zu. Die Kieferstein starrte ihm nach. Als er bei der Treppe war, rief sie ratlos: »Herr Hofrat, Herr Hofrat, ich bitte Sie …«. Worum sie ihn bitten wollte, verschwieg sie aber dann. Und der Hofrat ließ sich vom Alexander und vom Michael die Treppe runtergeleiten ohne sich noch einmal umzudrehen und danach zu fragen.

Ich rappelte mich hoch, rieb mir mit einer Hand das Steißbein, mit der anderen den Hinterkopf und bedauerte, dass mir zwei weitere Hände zum Reiben der Oberschenkel fehlten.

Mir war nicht klar, ob mein Verweis aus der Klasse noch aufrecht war. Danach fragen wollte ich aber nicht. Also kehrte ich in die Klasse zurück und setzte mich an mein Pult. Ich dachte mir: Wenn's ihr nicht passt, wird sie es schon sagen!

Die Kollegen wuselten hinter mir her. Nach dem letzten stolperte die Kieferstein herein. Zum weiteren Unterrichten war sie nicht aufgelegt. Sie hockte sich zum Lehrertisch und räusperte sich in kurzen Abständen, jedes Mal dachte ich, sie wolle zu einer Ansprache ansetzen. Doch die erfolgte dann nie. So verbrachten wir zehn Minuten. Die Kieferstein sich räuspernd, ich die Kieferstein anstarrend, alle anderen mich anstarrend, bis die Glocke die Pause einratschte. Als sie ausgeratscht hatte, erhob sich die Kieferstein und sagte: »Sebastian, du kommst mit mir!«

Ich marschierte brav neben ihr in den ersten Stock runter, zur Direktion. Sie hieß mich im Vorzimmer vom Hofrat neben dem Schreibtisch der Sekretärin auf dem harten Bänkchen Platz nehmen, sagte zur Sekretärin »Er darf auf keinen Fall von hier weg« und pochte mit ihren Spitzknöcheln an die Tür des hofrätlichen Gemachs.

»Da können Sie jetzt nicht rein«, rief die Sekretärin. »Dem Herrn Hofrat geht es im Moment nämlich nicht!«

Die Kieferstein scherte sich nicht darum, riss die hofrätliche Tür auf und schlug sie hinter sich zu.

Von meinem Bänkchen aus hatte ich für einen Augenblick den Hofrat im Ohrensessel erspäht, die Mortadella-Arme schlaff beidseits der Lehnen runterhängend, den Kopf schräg an ein Sessel-Ohrwaschel gelehnt, die Augen geschlossen. Hätte der Riesenbauch nicht gezittert, hätte ich glatt geglaubt, der Mann sei leblos.

»Hat er wegen dir den Anfall bekommen?«, fragte die Sekretärin. Es klang nicht unfreundlich.

»Sollte es so sein«, sagte ich, »war es nicht meine Absicht.«

Die Sekretärin zog eine Schreibtischlade auf, entnahm ihr eine Tüte Potato-Chips und reichte sie mir. Ich nahm sie dankend und bediente mich. Den ganzen Chips-Sack futterte ich leer, inklusive Bodensatz an salzigen Bröseln. Die Glocke hatte längst das Pausen-Ende geratscht, aber hinter der hofrätlichen Tür rührte sich noch immer nichts. Dafür wurde die Tür zum Gang hin aufgerissen. Meine Alleinerzieherin stürmte herein. Sie nickte der Sekretärin zu, deutete zur hofrätlichen Tür und sagte: »Melden Sie mich beim Herrn Hofrat. Doktor Busch mein Name!« Dann mit einer wilden Handbewegung zu mir: »Ich bin die Mutter dieses Knaben.«

»Die Kieferstein ist bei ihm drinnen«, sagte die Sekretärin. »Wird aber nimmer lange dauern, denke ich.«

Die Alleinerzieherin nahm neben mir Platz.

»Hat dich der Hofrat angerufen?«, fragte ich. »Hättest nicht herwieseln müssen wegen dem Pipapo.« Die Frau ist schließlich schwer berufstätig und scheffelt pro Stunde viel Geld. Ich habe es nicht gern, wenn sie mir vorhalten kann, dass ihr wegen mir ein paar Tausender durch die Lappen gegangen sind.

Sie sagte – ziemlich leise – zu mir: »Du wolltest dich doch nicht echt aus dem Fenster stürzen, oder?« Ein leicht besorgter Tonfall war in ihrer Stimme.

Ich war total verblüfft. Dass man mir Selbstmordab-
sichten unterstellen könnte, daran hatte ich nicht gedacht! Also klärte ich flüsternd die Alleinerzieherin über
das Vorgefallene und seine Ungefährlichkeit auf. Sie
lauschte, ein Lächeln verschönte ihr herbes Gesicht, sie
drückte mir kurz die Hand und sagte leise: »Sohn, dass
es so war, behalten wir für uns. Ab jetzt redest du kein
Wort, das übernehme ich!«

Ich war noch verblüffter! Die Frau redete zu mir, als
ob ich einer ihrer Klienten wäre und uns die Hauptver-
handlung vor dem Schwurgericht bevorstünde. Doch im
Gegensatz zu ihren straffälligen Klienten hatte ich keinen Schimmer, worauf das rauslaufen sollte. Dazu, mich
zu erkundigen, kam ich auch nicht mehr, denn nun öffnete sich die hofrätliche Tür. Die Kieferstein kam heraus. Sie wollte den Raum, Richtung Gang, durchque-
ren, die Alleinerzieherin hielt sie zurück. »Doktor Kieferstein«, sprach sie mit einer Stimme, die man üblicherweise als schneidend bezeichnet, »wir klären das besser
mit allen Beteiligten!« Dann führte sie die Kieferstein ins
hofrätliche Gemach retour. Und ich marschierte hinterher.

Der Hofrat befand sich nicht mehr in der Haltung, in
der ich ihn zuvor erspäht hatte. Halbwegs aufrecht saß
er. Meine Mutter, als wäre sie Gastgeberin, wies mir und
der Kieferstein Plätze auf der Polsterbank zu und setzte
sich selbst dem Hofrat gegenüber, auf den Sessel, den
wir »Sündersitz« zu nennen pflegen, weil auf dem vor-

geladene, einer Straftat bezichtigte Schüler zu sitzen haben.

Dann legte meine Mutter los, dass ich aus dem Staunen nicht rauskam. Sie werde, sagte sie einleitend, von einer Anzeige gegen die Schule absehen!

Es würde zu lange dauern, um ihre Ansprache im Detail zu berichten. Jedenfalls lief sie darauf raus, dass man schulseits des Einfühlungsvermögens entbehre, einen sensiblen Knaben beinahe in den Selbstmord getrieben, zuzüglich die Aufsichtspflicht grob verletzt habe, denn es sei gemäß Schulunterrichtsgesetz nicht erlaubt, Schüler der Klasse zu verweisen, und überhaupt dürfte man hierorts pädagogisch unzulänglich sein, wofür sich garantiert etliche Zeitungen sehr interessieren würden. Aber sie sei nicht so, verstehe, dass überforderten Lehrpersonen Fehler unterliefen, die Sache sei zufällig noch einmal gut ausgegangen, also Schwamm drüber! Ich hörte ihr zu und dachte mir: Entweder trifft den Hofrat, noch während sie redet, der flüssige Schleimschlag. Oder der trifft ihn nachher, wenn er zurückbrüllt, dass er sich solche Frechheiten nicht bieten lässt. Schnecken! Fast untertänig reichte der Mann meiner Mutter, als sie geendet hatte, die Patschpfote. Die Kieferstein desgleichen. Beide nickten, als meine Mutter meinte, der heutige Tag habe für mich genug der Aufregung gebracht, ich brauche nun Ruhe, sie nehme mich mit heim.

»Warum hast du das getan?«, fragte ich vor dem Schultor die Alleinerzieherin.

66

»Weil's drin war«, sagte sie grinsend. »Man soll immer rausholen, was drin ist!«

Ich begleitete sie zu ihrem Wagen, den sie zwei Gassen weiter abgestellt hatte.

»Das war«, sagte sie, »ein Hopp- oder Topp-Fall. Hätte ich den Wapplern nicht bewiesen, dass sie Mist gebaut haben, hätten sie mir bewiesen, dass du Mist gebaut hast, Klaro?«

»Klaro«, murmelte ich ergriffen und öffnete ihr die Wagentür. Ich glaube, ich verbeugte mich sogar, als sie einstieg.

Kleiner Nachtrag zwecks Vervollständigung eines
vorangegangenen Kapitels

Das bisher Geschriebene durchlesend, erkannte ich, dass ich im Eifer des Berichtens völlig vergessen habe zu schildern, was sich zwischen mir und meiner Alleinerzieherin abspielte, als sie vom Sexualberatungstermin beim befreundeten Psychologen heimkehrte.

Ich hatte mich in mein Zimmer zurückgezogen und saß, wohl etwas bleich und matt nach dem Gespräch mit meiner Kusine, hinter meinem Schreibtisch und kritzelte mit schwarzem Filzstift ein Männchen auf ein großes Blatt Papier.

Ein Dutzend Männchen hatte ich bereits nebeneinander und untereinander hingezeichnet. Ich bin kein guter Zeichner, ich beherrsche bloß ein Männchen perfekt. Eines, das ein ganz breites Maul – von einem großen Henkelohr zum anderen großen Henkelohr – hat und darin zwei Reihen spitzer Haifischzähne. Seine Augen sind Kreise mit einem bösen Punkt darin. Hals hat es keinen, sein Rumpf ist von Geldschrankformat, seine Beinchen sind kurz und spindeldürr, seine Füße dünn und karottenlang. Dieses Männchen zeichne ich gern, wenn ich Gedanken fassen will und nicht kann.

Unsere Wohnung ist weitläufig. Betritt wer vom Treppenhaus her das Vorzimmer, kann ich das in meinem Gemach bei geschlossener Tür nicht hören. So vernahm ich der Alleinerzieherin Schritte erst, als sie durch das Speisezimmer auf mein Zimmer zustöckelte.

Ich widerstand dem Impuls aufzuspringen, zur Tür zu flitzen und den Schlüssel im Schloss zu drehen. Happig auf eine Aussprache mit ihr war ich wahrlich nicht. Irgendwie schon recht seltsam: Solange ich mich sexmäßig bloß als stinknormalen, winterbirnenmaßigen Spätentwickler gesehen hatte, hatte es mir Spaß gemacht, mich vor ihr als schwul, beziehungsweise transsexuell zu geben. Nun, wo ich selbst meine schweren Richtungs-Zweifel hegte, wollte ich nicht einmal ein einziges Wort mit ihr über das Thema wechseln!

Aber sie auszusperren wäre sinnlos gewesen. Einer aussprachewütigen Mutter entgeht der Sohn auf lange Sicht sowieso nicht! Es pochte also kurz an meiner Tür und bevor ich noch Laut geben konnte, war die Alleinerzieherin in mein Zimmer eingedrungen. Ihr Anklopfen ist stets nur ein pseudohöflicher Akt. Nie wartet sie auf positiven Einlass-Bescheid. Selbst wenn ich »Draußen bleiben!« brülle, marschiert sie ein.

»Guten Abend, Sebastian«, sagte sie, ließ sich mir gegenüber auf meinem Bett nieder, streifte die Lackpumps von den Füßen und blickte bedeutungsvoll.

»Schönen, guten Abend«, sagte ich, senkte den Kopf und fing einen neuen Männchenmund an. Ich beginne mein Männchen immer beim Mund. Den Restleib errichte ich dann drumherum.

»Sebastian«, sagte die Alleinerzieherin mit fester

Stimme. »Du hast mich unlängst durch diese Fotos ziemlich verunsichert, da ich von selbst leider nicht auf den Gedanken gekommen wäre, dass du Probleme mit deinen sexuellen Neigungen haben könntest.«

Ich zeichnete die Haifischzahnreihen in den Männchenmund rein, schaute vom Papier nicht hoch und fragte so cool wie möglich: »Ach, habe ich denn Probleme?«

»Ich sitze hier um das zu erfahren«, sagte sie.

Ich malte zwei große Henkelohren und gab ihr keine Antwort. Die Alleinerzieherin sagte: »Also, ich denke mir, ein junger Mann, der merkt, dass es ihm gut gefällt, sich Mädchenkleider anzuziehen, nimmt das nicht einfach so hin wie einen Pickel auf der Stirn, der kriegt damit seine Probleme. Wir leben schließlich nicht in einer Welt, wo das als so üblich und normal wie ein Pickel gilt. Und meiner Lebenserfahrung nach fällt es keinem Menschen leicht, sich zu dem zählen zu müssen, was man eine Minderheit nennt.«

Ich legte den Bleistift weg und schaute zu ihr hin. Ich habe allerhand gegen die Frau, aber irgendwie, das musste ich zugeben, verhielt sie sich jetzt gar nicht so übel. Möglicherweise hatte ja der befreundete Psychologe diese Art der Gesprächsführung mit ihr einstudiert, aber selbst wenn es so gewesen sein sollte, fand ich es einigermaßen okay! Es gibt schließlich nicht allzu viele Mamas, die so lernfähig sind, dass ihnen ein Psychologe in einer einzigen Sitzung so viel antrainieren könnte.

»Also, ich komme gerade von einem befreundeten Psychologen«, fuhr sie fort. »Ich wollte mir bei ihm irgendwie Rat holen. Also eigentlich nicht nur Rat, ich wollte vor allem eine Erklärung haben. Warum und wieso … und so halt, du verstehst schon. Ist natürlich ignorant von mir, aber …«, sie hob die Schultern und ließ sie wieder fallen, »… aber ich habe mich mit diesem Problem nie näher befasst.«

»Und was hat der befreundete Herr Psychologe nun gesagt?«, fragte ich.

»Dass ich nicht über das Warum und Wieso grübeln soll, sondern dass ich lernen muss es zu akzeptieren. Und dass es seine Zeit dauern wird, bis ich locker damit umgehen kann. Weil Mütter eben ihre fixierten Vorstellungen vom künftigen Leben der Söhne haben, und wenn diese Vorstellungen wie Seifenblasen zerplatzen, dann werden sie traurig, obwohl es im Grunde gar nichts zum Traurigsein gibt.«

Alle Achtung, dachte ich mir. Hütchen ab vor der Dame, die hat doch wesentlich mehr Format, als du ihr je zugetraut hast! So sagte ich, und es fiel mir gar nicht schwer: »Gemach, gemach, Frau Mutter. Das mit den Weiberklamotten war echt nur ein Spaß, zu dem mich die Eva-Maria gedrängt hat, wahrhaftig und ehrlich, ich wollte dich bloß damit ein bisschen aufziehen, kannst du mir glauben.« Und damit sie es glaubte, hob ich auch noch die zwei Schwurfinger.

Sie bekam einen Blick, als glaubte sie es sehr gern.

»Allerdings habe ich mir inzwischen leider tatsächlich ein Erotik-Problem zugelegt«, sagte ich, da ich nun schon einmal beim Ehrlichreden war. »Dabei geht es aber nicht um Weiberklamotten, auf die stehe ich absolut nicht, es geht grundsätzlich darum, ob ich schwul, hetero oder bi bin. Das muss ich erst rauskriegen, entweder theoretisch oder praktisch.«

»Wie bitte?«, fragte sie, beugte sich vor und neigte den Kopf, wie es schwerhörige Leute zu tun pflegen.

»Ich muss meine sexuelle Richtung orten«, sagte ich. »Die Eva-Maria übrigens weiß um die ihre auch nicht Bescheid.«

»Was weiß deine Kusine noch nicht?« Die Alleinerzieherin rang sichtlich um Verständnis des Vernommenen.

Da meine Haltung ihr gegenüber bereits eine derart leutselige war, erklärte ich ihr auch noch exakt, wie sich mein Sex-Problem im Gespräch mit Kusine Eva-Maria ergeben hatte, und während ich es erklärte, entspannte sie sich. Ganz locker saß sie schließlich da. Ich vermute, sie verkniff sich sogar ein Lächeln.

Meine Milde mit der Frau verflog augenblicklich. Da hatten wir es also wieder einmal! Es war einfach mit ihr nicht ehrlich-ernsthaft zu reden. Wegen eines Problems, welches ich gar nicht hatte, war sie urgeschockt gewesen, war zum Psychologen gerannt und hatte sich auf sensibel und einfühlsam trainieren lassen. Aber das Problem, das ich wirklich hatte, brachte sie zum Lächeln!

Ich knüllte meinen Männchenbogen zusammen und schrie sie an: »Die Aussprache ist beendet, raus!«

»Was hast du denn plötzlich?«, fragte sie etwas verstört. Aber sie stand gehorsam auf und verließ hurtig mein Zimmer. Und ich warf den zur Kugel geknüllten Männchenbogen gegen die Tür, die hinter ihr ins Schloss gefallen war.

Ob die Alleinerzieherin schnurstracks in ihr Zimmer geeilt ist und von dort den befreundeten Psychologen angerufen und ihm mitgeteilt hat, dass sie sich unnötig Sorgen gemacht und ihn ebenso unnötig belästigt habe, weil ihr Sohn gar kein Transvestit sei, sondern bloß pubertäre Zweifel hege, weiß ich nicht. Ich nehme es aber an. Jedenfalls summte sie dann den Rest des Abends vor sich hin und war bester Laune.

8.
Von den arg lästigen Auswirkungen der reifen Leistung
meiner Alleinerzieherin und dem enorm irritierenden
Verhalten meiner Kusine Eva-Maria.

Nach diesem erklärenden Nachtrag kehre ich wieder zum Tagesgeschehen zurück: Was mir in meiner Verblüffung voreilig als reife Leistung der Alleinerzieherin im hofrätlichen Gemach erschienen war, hat sich nun allerdings für mich als äußerst unangenehm herausgestellt. Mein angeblich selbstmörderischer Fenstersturz macht mir etwas zu schaffen. Der hat sich nämlich in der Schule im Concord-Tempo herumgeredet. Wie ein Kalb mit drei Köpfen werde ich angestarrt, wenn ich bloß dezent über den Flur schleiche! Ich scheine die Schulsensation zu sein.

Meine Klassenkollegen benehmen sich besonders saudumm. Sie weigern sich zur Kenntnis zu nehmen, dass ich keinerlei selbstmörderische Absicht hatte, habe oder künftig zu haben gedenke. Mehrmals habe ich ihnen das geduldig und in so einfachen Sätzen, dass sogar sie es begreifen müssten, beizubringen versucht. Aber sie nicken bloß milde und geben scheinheilig vor mir zu glauben. Und hinterher tuscheln sie grüppchenweise und machen besorgte Glupschaugen und Sichelmünder. Dieses als Zeichen der Zuneigung zu mir zu deuten, wäre kurzsichtig. Sie lieben nicht mich, sie lieben die »tragische Situation«, über die sie Bedeutendes schwafeln können. Ist mir aber auch schnurzpiepegal! Bloß wissen möchte ich ganz gern, welche Selbstmordmotive mir eigentlich unterstellt werden. Was vermuten da der Hofrat und die Kieferstein und hinter ihnen her meine Klassen-Kollegen?

Ich habe die Alleinerzieherin gefragt. Aber die hat mir nicht weiterhelfen können. Der Hofrat, hat sie mir erzählt, habe an diesem Vormittag bei ihr in der Kanzlei angerufen und gekeucht, dass er und Kollegin Kieferstein mich unter Aufbietung all ihrer Kräfte im letzten Moment davor bewahrt hätten, meinem jungen Leben ein Ende zu setzen, und dass sie sofort in die Schule kommen möge.

Wahrscheinlich vermuten die Wappler gar nichts Konkretes, wahrscheinlich denken sie, dass der Sebastian Busch ein unberechenbarer Sonderling sei, einer, in den sich der Normal-Mensch nicht einfühlen könne. Jugendirrsinn der vagen Sorte halt, und ein Jammer, dass so was in den besten Familien vorkommt!

Dabei ist Suizid wirklich die einzig makabre Möglichkeit, die ich für mich noch nie in Betracht gezogen habe. Mich umzubringen kann ich mir schon allein deswegen nicht vorstellen, weil ich mir nicht vorstellen kann, dass es mich nicht mehr gibt. Klar kann ich mir ausdenken, dass ich von einem roten Cadillac niedergefahren und abtransportiert werde, in die Intensiv-Station komme, der Chefarzt nach Wochen das Beatmungsgerät abschaltet und ich in den Sarg gelegt und ins Familien-Grufterl runtergelassen werde. Und die Alleinerzieherin und ihre Schwester stehen wie zwei kohlschwarze Raben vor dem Grufterl und schluchzen sich, aneinander Halt suchend, eins und die Eva-Maria beugt sich über den Gruft-Schacht, lächelt mir zu und lässt ein rosa Röslein auf mich runterflattern. Lächelt *mir* zu, lässt auf *mich* flattern! Allein daran ist doch eindeutig zu sehen, dass es mir an Verständnis für eine Welt ohne mich mangelt. Sogar wenn ich tot bin, gibt es *mich* noch, *mein* Begräbnis wahrnehmend. Rein vom Gefühl her halte ich mich für ewig! Was beileibe nichts damit zu tun hat, dass ich an ein Weiterleben nach dem Tode glaube; das tue ich nicht. Auch wenn mich die Eva-Maria seit geraumer Zeit mit diversen Weiterlebe-Ideen eindeckt. Sie lässt sich von einer Freundin mit Schriftum der fernöstlichen Trivial-Sorte versorgen. Unlängst hat sie sogar zu mir gesagt, sie könnte sich für die Wiedergeburt erwärmen, aber nur, wenn man uns Aufnahme ins Pflanzen- und Vogelreich garantieren würde. Mensch möchte sie nicht mehr werden, davon werde sie voraussichtlich in sechzig, siebzig Jahren reichlich genug haben. Aber es wäre ein tröstlicher Gedanke für sie dereinst als Birke zu rascheln, in der ich mir als Nachtigall ein Nestlein baue. Oder als Nachtigall auf einer Birke, die einmal ich war, täglich ihr Liedlein zu zirpen.

Ich habe sie darauf hingewiesen, dass solche Ideen ihrer nicht würdig seien, dass sich für Reinkarnation nur konfuse Trampeln erwärmen können. Zumindestens in unserem europäischen Kulturkreis, wo solch Denken nicht hinpasst.

»Sei nicht so streng, lass mich ein bisschen Kitsch träumen«, hat sie darauf gesagt und mich supersonnig angegrinst. Keine Ahnung, ob sie es nicht doch urernst meint. Sie hat oft die Taktik mir absurde Ideen probehalber zuerst ganz nebenbei, wie im Spaß, zu servieren. Nach der Methode Versuchsballon! Aber wenn ich nicht bereit bin den Ballon steigen zu lassen, gibt sie wieder Frieden. Sie ist ja ein vernünftiges Mädchen.

Ob allerdings auch vernünftig war, was sie vorgestern tat, ist mir unklar. Vorgestern war Samstag, wir sind mit den Mamas ins Tanten-Haus gefahren. Die Eva-Maria wie immer unter Protest! Die Hoffnung, dass sie bald für alt genug zum Allein-daheim-bleiben erklärt werden könnte, hat sich zerschlagen. Der Ministerialrat Schaberl, an dem meine Tante erotisch interessiert war, hat sich verflüchtigt. Soweit es die Eva-Maria mitbekommen hat, deswegen, weil ihre Mutter »zu stürmisch« gewesen war und der Ministerialrat ein Eroberer sein wollte, und nicht einer, der sich erobern lässt. Jedenfalls braucht meine Tante im Moment kein sturmfreies Wochenendhaus.

Den Samstagnachmittag verbrachten wir mit Gartenarbeit. Meine Tante harkte in den Beeten rum um darin wachsenden Pflanzen das Leben leichter zu machen. Meine Mutter wusch mit einer Brühe aus Schmierseife und Zigaretten-Tschicks die Rosenblätter um Blattläusen darauf das Leben schwerer zu machen. Die Eva-Maria zupfte aus dem Schnittlauch die harten, ungenießbaren Halme mit den violetten Blüten. Ich gab vor das Erbsenbeet auf volle Schoten hin zu begutachten. Mit einem Körberl wanderte ich das schlingende Wuchern entlang und starrte ins Grüne, aber ich entdeckte keinerlei für das Abendessen taugliche Schoten mit prallem Inhalt. Meine Mutter nahm mir dann das Körberl ab, füllte es randvoll und fragte mich, ob ich blind sei. Diese Gartenarbeit ist nichts für mich, ein Bauerngärtlein ist schließlich keine Philodendron-Zucht und nicht einmal an dieser wäre ich heute noch interessiert.

Als der Abend dämmerte, kleideten sich die Mutterfrauen alternativ ein, indem sie sich in Pseudo-Trachtenlook gewandeten. In so Kittel aus Blaudruck und Blusen mit Kreuzelstich-Stickerei über dem Busen und drüber Joppen aus Rupfen oder wie man dieses grobe Zeug nennt. Die Damen sind seit einiger Zeit »grün« und besuchen deshalb regelmäßig einen alternativen Verein, der im Wirtshaus des Ortes, im Extrazimmer, tagt.

Meine Tante, glaube ich, war gar nichts, bevor sie »grün« wurde. Besser gesagt, sie war jeweils das, was gerade ihre erotische Beziehung gewesen ist. Sie ist da ungemein anpassungsfähig an politische Meinungen.

Meine Mutter hingegen hat sich bis zum Grünwerden als »Achtundsechzigerin« bezeichnet. Aber eine solche, sagt sie, hat nun keine echte Heimat mehr und muss schauen, dass sie politisch irgendwo unterschlüpfen kann, und da seien die Grünen die passabelste Möglichkeit.

Meine Tante wollte die Eva-Maria und mich zum Mitkommen animieren, das haben wir abgelehnt. Ich für meinen Teil, weil ich das schon kannte. Nichts gegen Grünsein, aber es frustet, sich Gelabber anzuhören, wie man die »Ureinwohner« der Gegend »bewusst« machen könne. Im Extra-Zimmer finden sich nämlich – abgesehen von einem Jungbauern – die Wochenend-Landbewohner ein. So Leute halt, die die Umgebung ihres Häusleins gern bio hätten und ihr Basilikum nicht neben chemiegesättigten Feldern ziehen mögen.

Die Mamas starteten per pedes zum Wirtshaus, obwohl die meine einen 20-Minuten-Marsch nicht sehr schätzt. Aber erstens gibt man sich auf dem Lande abgasbewusst und zweitens kippen die Damen bei den grünen Abenden gern Obstler und wollen heimfahrend nicht im Straßengraben landen.

Ich winkte ihnen nach und setzte mich auf das Hausbänkchen beim Zwetschkenbaum. Dort wollte ich auf das Dunkelwerden warten um den Sternenhimmel zu genießen. Auf den bin ich geil. Ich kriege die Sterne zwar nie auf Sternbilder zusammen, aber darum geht es auch nicht. Worum es mir geht, versuche ich gar nicht hinzuschreiben, damit ich nicht in Kitsch verfalle. Dezent angedeutet, ließe sich sagen: Unter dem riesigen Sternenhimmel fühle ich mich noch winziger als sonst, komme mir aber trotzdem total geborgen vor.

79

Kaum hockte ich fünf Minuten auf dem Bänkchen, kreischte die Eva-Maria zum Badezimmerfenster raus: »Basti, komm!«

Ich begab mich also ins Haus und ins Badezimmer. Meine Kusine saß mit angezogenen Beinen auf dem Wannenrand und wies mit ausgestrecktem Arm zum Winkel unter dem Boiler. »Dort!«, sagte sie. Mehr zu sagen war auch nicht nötig. Sie hat eine Spinnen-Phobie. So klein kann eine Spinne gar nicht sein, dass sie wegen ihr nicht panikt.

Ich bin auch kein Spinnenfan, ich gehe ihnen lieber aus dem Weg. Nur der Eva-Maria zuliebe kann ich sie wegmachen. Wobei verjagen keine Lösung ist, dann wittert sie das geflohene Vieh überall und panikt noch mehr. Ich arbeite mit der Watte-Methode.

Ich zupfte also einen dicken Wattebausch aus der Packung, beugte mich unter den Boiler und tupfte mit der Watte auf die Spinne im Winkel, die diesmal eine fette war. In Watte ist eine Spinne fester gefangen als jede Fliege im Spinnennetz. Ganz unmöglich, dass sie ihre Beine aus dem Wattezeug rauskriegen kann. Um die Spinne nicht stundenlang sterben zu lassen legte ich den Wattebausch auf den Boden und trat fest drauf. Dann warf ich die platt getretene, gelbgrau vergatschte Watte in den Mülleimer und wollte wieder zum Hausbankerl zurück.

»Bitte, bleib da«, sagte die Eva-Maria. »Da lauern garantiert noch ein paar Biester!«

Ich setzte mich auf das Stockerl neben der Tür. Die

Eva-Maria sprang vom Wannenrand. Ein rotes Kleid hatte sie an, eines, das vorne, vom Halsloch bis zum Saum, geknöpft war. Oben beginnend knöpfte sie das Kleid auf. Langsam, Knopf um Knopf, bis in Hüfthöhe. Dann streifte sie das Kleid von den Schultern. Es fiel zu Boden und meine Kusine stand mit nichts als einem winzigen Tanga und einem noch winzigeren BH bekleidet vor mir. BH und Tanga aus schwarzer Spitze! Ich habe die Eva-Maria schon oft in der Unterwäsche gesehen. Das war aber stets weißes Baumwollzeug, den Rumpf so weit reichend verhüllend wie ein Gymnastik-Body. Also war ich nun einigermaßen verblüfft.

»Hübsch, oder?«, fragte die Eva-Maria und tupfte mit je einer Zeigefingerspitze auf je eine Spitzenbrustspitze.

Ich wusste nicht, was antworten. Ich fühlte mich unbehaglich. Nicht wegen der schwarzen Spitze. Aber meine Kusine schaute so merkwürdig. Und dazu bewegte sie sich reichlich komisch. Wie eine dieser doofen Schauspielerinnen, die man Freitag in der Nacht auf Sat-1 in den Soft-Pornos besichtigen kann. Und dann entledigte sie sich auch noch des BHs und fragte mich: »Willst nicht auch duschen? Sparen wir Wasser, wenn wir es gemeinsam tun!«

»Nein, danke«, murmelte ich und flüchtete aus dem Bad und dem Haus raus, zum Hausbänkchen. Dort hockte ich ratlos.

Es dämmerte, es wurde dunkel, die Sterne funkelten zu mir herunter, geborgen fühlte ich mich aber keineswegs. Irgendwann dann kamen die beiden Mamas hinter einem wegweisenden Taschenlampenlichtkegel. Sie kicherten und stolperten bei jedem dritten Schritt. Ohne mich zu bemerken verschwanden sie im Haus.

Keine Ahnung, wie lange ich dann noch unter dem Zwetschkenbaum saß. So lange jedenfalls, bis mir knochenkalt war. Ich stand auf und wollte ins Haus. Die Haustür war zugesperrt. Woher hätten die heimkehrenden Damen auch wissen sollen, dass ein Stück Nachwuchs noch im Freien weilte?

Ich tappte ums Haus rum, zu den Fenstern, hinter denen das Kämmerlein ist, in dem meine Kusine und ich nächtigen. Ein Fenster stand offen. Ich kletterte rein, und da mein Bett gleich neben dem Fenster steht, hatte ich keine Mühe halbwegs geräuschlos reinzukriechen. Unter der Decke zog ich mir die Klamotten aus. Darauf, meinen Pyjama zu suchen, verzichtete ich. Da hätte ich Licht machen müssen und da wäre die Eva-Maria munter geworden. Das wollte ich vermeiden.

So lag ich nackt und frierend unter der Decke. Und wie ich so vor mich hinzittere, höre ich einen Betteinsatz quietschen, hierauf Taps-Schritte, dann sagt meine Kusine »Lass mich zu dir« und schon ist sie unter meiner Decke, kuschelt sich an mich und jammert mir in den Hals: »Halt mich fest, ich habe einen Alptraum gehabt!«

Das gute Kind war so splitternackt wie ich. Und dass sie von Alpträumen geplagt worden war, konnte ich mir schwer vorstellen. Sie ist überhaupt nicht der Typ dafür!

Nerven behalten, sagte ich mir. Keine falschen Vermutungen anstellen! Gibt's ja nicht, dass das so sein kann, wie es wirkt! Meine vernünftige Kusine kann doch mit ihrem eigenen Kusin nicht Schulmädchen-Report spielen wollen! Obwohl ich mir wacker so zuredete, gelang es mir nicht, diesen Verdacht fallen zu lassen. Mir fiel einfach keine andere Erklärung ein. In meiner schieren Ratlosigkeit wälzte ich mich auf den Bauch und beschwerte so mein Geschlechtsteil mit dem Gewicht meines Leibes um ihm etwaiges, ungewolltes Eigenleben zu erschweren. Ob mir das auf lange Sicht gelungen wäre, weiß ich nicht. Die Eva-Maria verließ, kaum dass ich bäuchlings war, mein Bett, tappte zu ihrem rüber und sagte: »Langweiliger Kerl!«

Sonntagvormittag, als ich aufwachte, war ihr Bett leer. Auf meinem Nachtkastel lag ein rosa Papier. Auf dem stand in Kusinen-Handschrift: Das hätte heute Nacht ein Test bezüglich sexueller Neigungen werden sollen, sonst gar nichts!

Na schön! Aber wessen Neigungen wollte sie testen? Meine oder ihre? Ich hätte sie den ganzen Sonntag über danach fragen können, aber das schaffte ich nicht. Ich brachte mit ihr nicht einmal ein oberflächliches Gespräch zu Wege. Funkstille war zwischen uns. Die fiel sogar den Mamas auf. Dauernd fragten sie, ob wir uns gestritten hätten.

Auf der Heimfahrt, diesmal im Tanten-Auto, hockten wir auch schweigend nebeneinander. Damit es nicht so peinlich wirkte, nahm ich ein uraltes Zeitungsblatt von der Ablage und las mich durch einen langen Artikel über die gemeinsame Währung der EU-Staaten. Obwohl mir immer kotzübel wird, wenn ich im Auto lese.

Als ich käsebleich-magenverkrampft vor unserem Haus aus dem Auto stieg und unser Gepäck aus dem Tanten-Kofferraum holte, sprang die Eva-Maria aus dem Wagen und tat, als wolle sie mir helfen. Sie schnappte eine Tasche und trug sie zum Haustor. Dabei zog sie ein gefaltetes rosa Papierl aus der Hosentasche und drückte es mir in die Hand. Dann lief sie zum Auto zurück. Während die Alleinerzieherin und ihre Schwester die Abschiedsk(üsserei zelebrierten, entfaltete ich beim Haustor das rosa Papierl. In großer Schrift knallte mir entgegen: *Sex zwischen Kusine und Kusin ist kein Inzest! Schon gar nicht bei uns, weil unsere Mütter nur Halbschwestern sind!*

9.
Von einem Gemüt, das Trauerarbeit leisten muss, und der Beziehungslosigkeit zu einem sporadisch auftretenden Erzeuger.

Ich weiß nicht, ob meine Kusine Eva-Maria nun auch auf eine schriftliche Mitteilung von mir wartet. Eine auf hellblauem Papier vielleicht? Mädi schreibt an Bubi rosa, Bubi schreibt an Mädi hellblau? Wäre es so, wüsste ich nicht, welchen Inhalts diese Mitteilung sein sollte.

Jedenfalls sind seit dem verpfuschten Wochenende bereits vier lange Tage vergangen und meine Kusine ist bei mir bis jetzt nicht aufgetaucht. So lange ist sie noch nie ohne mich ausgekommen, doch anrufen werde ich bei ihr nicht! Erstens habe ich das nie getan, sie ist immer von selbst gekommen, und zweitens wüsste ich auch nicht, was ich ihr sagen sollte. Sie geht mir aber sehr ab. Sie würde mir allerdings genauso abgehen, wenn sie bei mir wäre. Die Beziehung, die wir vor diesem missglückten »Test« zueinander hatten, die ist so und so dahin und passé.

Es lässt sich halt leider nicht einfach beschließen: Wir vergessen ein paar Stunden einer Samstagnacht und machen weiter, als ob es diese Stunden nie gegeben hätte! Ist auch gar nicht gesagt, dass die Eva-Maria das überhaupt wollte. Ich weiß ja nur, was ich an ihr hatte, und nicht, was sie an mir hatte.

Ich muss also nun, wie man so sagt, Trauerarbeit leisten und meine ein für alle Mal dahingegangene Eva-Maria begraben und beweinen.

Natürlich könnte ich mir auch sagen, dass ich bloß einen Irrtum begraben und beweinen muss. Nämlich den zu meinen, man könnte von einem Menschen nur zur Kenntnis nehmen, was einem in den Kram passt. Wenn ich mir das sagen würde und es akzeptieren würde, könnte ich sicher daran gehen, eine verbesserte Beziehung zu ihr aufzubauen und das wäre wahrscheinlich richtig. Schließlich ist es unedel, einen kompletten Menschen einfach als Wippschaukel-Denk-Co zu benutzen und den Rest seiner Persönlichkeit nicht einmal zu ignorieren!

Aber im Moment ist meinem Gemüt eher nach Trauerarbeit und ich sage mir, es schadet keineswegs, zuerst einmal meine verloren gegangene Kusine würdig zu beerdigen. Weitere Maßnahmen eilen auch im Moment nicht besonders. Vor allem deswegen nicht, weil für das kommende Wochenende das Tanten-Bauernhaus für mich gestrichen ist und ich das Wochenende nicht mit der Eva-Maria gemeinsam zu verbringen habe.

Mein Herr Erzeuger reist nämlich an und dem muss ich zum Wochenende vorgeführt werden. Vorgestern hat er es der Alleinerzieherin per Fax aus New York mitgeteilt. Ob er mit Familie geflogen kommt oder solo, weiß sie nicht.

»Hat er nicht für nötig befunden zu erwähnen«, sagte sie spitz, als ich danach fragte.

»Dann hättest dich halt per Fax rückerkundigt«, rügte ich.

Es ist immerhin von einiger Wichtigkeit für mich, ob ich mich auf einen Einzelherrn oder auf Papa & Mama & Kindlein gefasst machen muss.

Den Einzelherrn schaffe ich einigermaßen problemlos. Papa & Mama & Kindlein stehe ich weniger gut durch. Die Dame, die er sich vor fünf Jahren als zweite Frau angelacht hat, ist wirklich eine nette Person. Ist man mit ihr zufällig allein, kann man sich an ihr richtig erfreuen, da ist sie ein harmloses Geschöpf, das gern lacht und leicht zu unterhalten ist.

Auch das Kindlein ist nicht übel, wenn man mit ihm allein ist. Wie eben vierjährige Mädchen so sind: frisst Unmengen Himbeereis, bohrt in der Nase und im Popo und frisiert dauernd eine Barbie-Puppe. Aber wenn sie als Dreieinigkeit auftreten, sind sie der wahre Horror. Der Vater motzt herum, die Mutter nimmt übel und das Kindlein greint. Und wenn die Alleinerzieherin bei den Abendmählern dann noch mit von der Partie ist und dezent stichelt, könnte man sich die Kugel geben!

Meine Mutter hat die Beziehung zu ihrem Herrn Ex-Gemahl sichtlich überhaupt nicht aufgearbeitet. Was insofern erstaunlich ist, als diese Beziehung nur eine sehr kurze war und jetzt wahrlich bereits Schnee aus der Steinzeit ist. Sie hat sich von meinem Vater knappe drei Monate nach meiner Geburt scheiden lassen. Warum sie das tat, darüber existieren drei Versionen.

Die Version meiner Mutter ist, dass mein Vater seinerzeit ein sexgeiler Bock gewesen ist und sie mit ihrer allerbesten Freundin hinterhältig dreimal die Woche betrogen hat, während sie ahnungslos mit mir schwanger ging.

Die Version meines Vaters ist, dass meine Mutter eine Stillpsychose hatte, durchdrehte und ihn der Untreue beschuldigte, während er rein platonisch bei dieser allerbesten Freundin Halt gesucht hatte. Trügerischerweise sei diese Frau eine intrigante Kuh gewesen und habe meiner Mutter absurden Verdacht bestätigt um eine Ehe zu zerstören.

Die Version meiner verstorbenen Großmutter war, dass die beiden von vornherein nicht zusammengepasst hätten und es sinnlos sei, sich um den akuten Anlass für ihre Scheidung zu streiten, weil sie sich sowieso über kürzer oder länger getrennt hätten. Und dass man dem lieben Gott im Himmel für diese Trennung danken müsse, denn der Kerl hätte meine Mutter total »untergebuttert«, nie im Leben wäre aus ihr eine Star-Anwältin geworden, versumpert wäre sie neben dem Macho, der nur sich und seine Karriere im Sinn gehabt habe, und nicht die seiner Ehefrau.

Egal, wer da richtig liegt – möglicherweise existiert ja auch noch eine vierte, richtigere Version, von der ich nichts weiß – mir ist es jedenfalls ein Rätsel, warum meine Frau Mutter total flippt, durchdreht und ausrastet, wenn sich ihr Geschiedener ansagt. Nach fast fünfzehnjähriger Trennung könnte sie doch etwas abgeklärte Ruhe bewahren. Tut sie aber nicht!

Es schaut ganz danach aus, als ob sie ihm bis an ihr – oder sein – Lebensende beibringen wollte, dass sie eine wahre Superfrau ist und er ein bettelarmer Tropf, weil er ohne sie dahinvegetieren muss!

Bevor er erscheint, geht sie nicht nur zum Friseur, sondern auch zur Kosmetikerin, wofür sie sonst nie Zeit hat. Und dann kauft sie sich die teuersten Edel-Klamotten, meistens Jil Sander; wofür sie sonst zu sparsam ist. Und wegen dem halben Stündchen, das mein Erzeuger üblicherweise in unserem trauten Heim zubringt, wenn er mich abholt, muss unsere arme Swetlana eine Sonder-Putz-Schicht einlegen und alles auf Hochglanz bringen. Sogar Blumen, zu gigantisch protzigen Sträußen arrangiert, müssen dann in allen Vasen prunken.

Und meine Mutter legt die besten Platin-Stücke ihrer Schmucksammlung an, inklusive goldener IWC-Uhr, die so viel gekostet hat wie ein besserer Mittelklassewagen.

Und ins Gespräch mit ihrem Ex-Gemahl lässt sie unentwegt ihre beruflichen Erfolge einfließen und fragt ihn scheinheilig, ob seine liebe, junge Frau »so daheim, nur mit einem Kind, ganz ohne Beruf« nicht kreuzunglücklich sei oder ob die mehr ein Hausfrauchen-Typ sei der seinen Lebensinhalt im Gugelhupfbacken finde.

Aber dass sie den Kerl zurückhaben will, kann ich mir wahrlich nicht vorstellen. Der ist doch eine echte

Durchschnitts-Wissenschaftler-Type, Marke angepasster Aufsteiger mit Scheuklappen. Der erklärt dir glatt, dass genveränderte Pflanzen und Viecher ein großer Segen für die Menschheit seien, Atomkraft die sauberste Energie-Quelle sei und die USA eine toll-demokratische Super-Nation seien, in welcher er das große Glück habe seit elf Jahren leben zu dürfen. Und dass alles Negative, was so die Europäer über seine neue Heimat sagen, nicht stimmt. Nicht einmal den Rassismus gibt es mehr, keiner sagt Nigger, jeder sagt brav »coloured people«.

Nein, nein, da hat meine Mutter schon weit besseren Herren gnadenlos den Laufpass gegeben. Und ein Adonis ist er ja auch nicht gerade. Früher war er halbwegs hübsch. Aber jetzt hat er eine Vollglatze, ein Fettbäuchlein, Hängebacken und Tränensäcke. Er schaut sogar weit älter aus, als er ist. Sein Kindlein hat mir erzählt, dass ihn fremde Leute oft für ihren »Grandpa« halten und ihre »Mummie« für seine Tochter. Als ich das der Alleinerzieherin berichtet habe, hat sie sich gefreut wie das Rumpelstilzchen.

»Na ja«, hat sie gesagt, »in dem Alter noch einmal eine Familie zu gründen, das zehrt eben!«

So wenig, wie ich die merkwürdige Beziehung der Alleinerzieherin zu meinem Herrn Vater verstehe, so wenig versteht sie, dass ich gar keine Beziehung zu ihm habe. Immer wieder will sie aus mir rauskitzeln, dass ich darunter leide, dass er mich verlassen hat. Oder dass ich ihr übel nehme, dass sie sich von ihm getrennt hat. Oder dass ich ihm wenigstens nachtrage, dass er sich wieder ein Kindlein gemacht hat.

Ich kann ihr aber mit solchen Geständnissen wirklich nicht dienen. Ihm nehme ich überhaupt nichts übel, weder dass er nicht mir zuliebe im Lande geblieben ist noch dass er in Amerika eine neue little-family gegründet hat, nicht einmal, dass er ein angepasster Dolm ist. Er ist halt, wie er ist, basta. Und wenn ich der Alleinerzieherin diesbezüglich unbedingt etwas übel nehmen soll, dann höchstens, dass sie sich zur Nachwuchsproduktion nicht einen Mann ausgesucht hat, der mich positiv beeindruckt.

Aber solche Forderung an eine Mutter zu stellen, wäre reichlich elitär. Die Eva-Maria hat einen Erzeuger, der ist noch etliche Nuancen mieser als der meine, ein echt dümmlicher Tropf mit einem Intelligenz-Quotienten an der Debilitätsgrenze. Darum hat sie auch jeden Kontakt zu ihm abgebrochen. Und soweit mir die Väter meiner Klassen-Kollegen bekannt sind, ist das auch nur Durchschnittsware bis Ausverkaufs-Sonderangebot ohne Garantieschein.

Ich habe auch keine konkreten Vorstellungen davon, wie ein ordentlicher Vater sein sollte. Da hege ich eher den Verdacht, dass mir keiner passen würde. Und hätte ich einen täglich anwesenden, hätte ich mit dem mindestens so große Troubles wie mit meiner Mutter. Ich hätte also doppelt so viel tagtäglichen Ärger. Und mir reicht der, den ich habe, völlig.

Eventuell könnte mir so einer wie der sehr alte, sehr weißbärtige Herr, dem ich meinen wunderbaren Packpapiersatz über dem Bett verdanke, als Vater zusagen. Aber erstens läge so einer jetzt vielleicht schon auf dem Sterbebett und ich müsste verzweifelt von ihm Abschied nehmen und zweitens lässt milde Philosophen-Weisheit noch lange nicht auf harmonisches Zusammenleben schließen. Könnte doch auch sein, dass der Alte Verdauungsstörungen hat und rumrülpst und stinkfurzt und schnarcht, dass die Wände wackeln. Oder dass er gegen Jazzmusik allergisch ist, Frau und Sohn zum vegetarisch essen zwingt, dauernd sehr laut, weil sehr schwerhörig, Wagner-Musik spielt und überhaupt lebensmäßig ein Widerling ist. Oder dass er von Tag zu Tag mehr verkalkt und kein vernünftiger Satz mehr aus ihm rauskommt und ich mir überlegen muss, ob ich ihm den Gnadenschuss geben soll.

Auch wenn es mir die Alleinerzieherin nicht abnimmt, ich bin hautfroh bloß einem erwachsenen Menschen ausgeliefert zu sein!

10.
Über die Folgen von zu wenig Mineralwasser und davon,
dass Wirklichkeit nur eine Konstruktion ist und mir zwei
unterschiedliche Konstruktionen ein teures Stück einbringen.

Das Erzeuger-Wochenende ist über die Bühne gegangen. Der werte Herr kam solo angeflogen und hatte zudem etliche urwichtige geschäftliche Termine. Für den Samstag war daher bloß ein Abendessen im Corsini angesagt, das ist ein Luxus-Fress-Tempel in der City. Ich mache mir überhaupt nichts aus 5-Sterne-Nahrung. Ich hatte schließlich nie Gelegenheit meinen Gaumen zu schulen. Eine Kindheit bei einer berufstätigen Mutter bringt das nicht. Meine Geschmacksnerven sind aber dafür in der Lage einwandfrei auseinander zu kennen, von welcher Tiefkühlkostfirma das Rindsgulasch oder der Germknödel auf dem Teller stammt. In einer Rumpf-Schrumpf-Familie wie der meinen verbietet man einem Kind die Big Macs nicht, sondern schickt ein Dankgebet zum Hl. Mc Donald, dass es ihn gibt.

Aber die Alleinerzieherin, die zum Jacobsmuschel-Kalbsfiletchen-Topfensoufflé-Schmausen mitzuckelte, hatte sichtlich enormen Gefallen daran. Jedenfalls thronte sie im Glanze eines neuen, geblümten Reinseidenfetzens am Tische, als wollte sie jeden Moment in den Jubelschrei ausbrechen: »Hier bin ich und hier gehöre ich auch hin!«

Ich allerdings wurde bei der lang andauernden Mahleinnahme unheimlich beschwipst, weil der Luxus-Ober das Mineralwasser in Liliput-Flaschen heranbrachte, und immer nur eine und erst nach dreimaligen Anmahnen die nächste rausrückte. So stillte ich meinen Durst in den Zwischenzeiten mit Chablis-Chardonnay- und Bordeaux-Schlucken, was mich in eine recht launige Stimmung versetzte.

Der Erzeuger geleitete uns dann im Taxi heim und er kam auf Einladung seiner Frau Ex-Gemahlin »noch auf einen klitzekleinen Türkischen« mit rauf. Ich ging aber schnurstracks zu Bett. Einerseits, weil mir unser trautes Heim vorkam, als wäre es ein Penthaus auf einem Hochseedampfer und dieser auf Wellengangkurs. Andererseits, weil ich befürchtete, meine launige Stimmung könnte mich dazu veranlassen, all dem Blödsinn, welchen der Erzeuger selbstgerecht und selbstgefällig verzapfte, allzu viel Spott & Hohn entgegenzusetzen. Und da ich ihn vor seiner Abreise noch zu einem Sonntags-Mittags-Spaziergang treffen musste, wollte ich das Zwischenmenschliche nicht trüben. Ich dachte mir: Bringt doch nichts, wenn er dich dann beim Spazierengehen dauernd löchert, warum du so aggressiv gegen ihn bist!

In meinem Dusel hatte ich vergessen vor dem Zubettgehen das WC aufzusuchen. Um fünf Uhr in der Früh erwachte ich daher mit außerordentlichem Blasendrang. Und während ich dann so vor der Kloschüssel stand und Wasser ließ, hörte ich ein sägendes Geräusch und das waren eindeutig Schnarchlaute!

Falls meine Frau Mutter je im Schlaf Laut geben sollte, tut sie das jedenfalls so dezent, dass davon kein Mucks durch ihre Schlafzimmertür dringt, und schon gar nicht durch zwei weitere Zimmer und das Vorzimmer, bis ins Klohäusel rein.

Da ich seit langem nicht mehr an schnarchende Gespenster glaube, war mir ziemlich klar, wer da sägt. Zur Gewissheit wurde es mir dann, als ich, aus dem Klohäusel tretend, durch die offene Wohnzimmertür blickte. Da sah ich nämlich vor der großen Lederbank zwei schwarze Schuhe liegen. Exakt die Treter, welche der Erzeuger an den Pedalen gehabt hatte.

Es muss ein Rest von Weinlaunigkeit gewesen sein, der mich ins Wohnzimmer tappen, den rechten Treter nehmen, ihn ins Vorzimmer tragen und dort im Garderobenschrank, in die alte Reisetasche, versenken ließ! Als ich das erledigt hatte, wanderte ich, vor mich hin kichernd, ins Bett zurück und schlief weiter.

Um zwölf Uhr rissen mich die Mittagsglocken unserer Pfarrkirche aus einem absolut grausigen Traum, in welchem ich durch die brennheiße Sahara gestolpert war auf der Suche nach einer Oase mit Brunnen. Den rasanten Durst, unter dem ich im Traum gelitten hatte, verspürte ich immer noch. Ich jappelte in die Küche und schlemperte vor dem Eisschrank eine halbe Bottle Mineralwasser leer. Und während das eiskalte Nass die Speiseröhre runtergluckerte, fiel mir der verdammte rechte Erzeuger-Latschen in der Reisetasche ein.

Der arme Mann, dachte ich, muss noch im Haus sein. Ein paar Ersatzhufe in Größe 45 hatte ihm meine Mutter doch nicht andienen können. So etwas führen wir im Angebot nicht, wir haben beide Schuhnummer 39. Und dass er, den rechten Fuß nur seidenbesockt, in sein Luxushotel einmarschiert wäre, das nahm ich nicht an.

So stellte ich das Mineralwasser in den Eisschrank zurück und machte mich auf die Suche nach dem Erzeuger. Dabei überlegte ich krampfhaft, ob ich ihm die Sache als kindisches Versteckspiel oder einfach überhaupt nicht erklären sollte.

Im Wohnzimmer war keine Menschenseele, der linke Schuh war auch weg. Das Schlafzimmer meiner Mutter war ebenfalls menschenleer, ebenso das Speisezimmer, das Gästezimmer und die sogenannte »Bibliothek«. Meine Mutter fand ich schließlich in ihrem Arbeitszimmer, hinter dem Schreibtisch, vor ihrem NoteBook. Sie schaute mich etwas verunsichert an und murmelte: »Guten Mittag, Herr Sohn!«

Ich sagte mir, dass nur dumme, kleine Kinder etwas abstreiten, was mit an Sicherheit grenzender Wahrscheinlichkeit von jedermann angenommen werden darf, und so fragte ich einfach: »Ist der Herr auf einem Haxen weggehüpft oder sitzt er in der Abstellkammer und trutzt?« Dort hatte ich nämlich nicht nachgeschaut.

Sie antwortete: »Weder noch! Ich habe ihm den rechten Haxen dick bandagieren müssen und dann habe ich ihm den roten Filzschlapfen drübergestülpt, den, wo dir

deine Kusine vorigen Nikolo das Konfektsackerl reinge-
stopft hat.« Ihre Miene verriet nicht, ob sie das eher komisch oder eher ärgerlich fand.

»Warum?«, fragte ich.

»Um dem Hotelportier zu demonstrieren, dass sein
verstauchter, geschwollener Fuß leider in keinen Schuh
rcinpasst«, sagte sie.

»Warum hat er mich denn nicht aufgeweckt und seinen Latschen eingefordert?«, fragte ich. »Er wird ja
nicht gedacht haben, dass es die Heinzelmänner gewesen
sind.«

»Er will sich mit der Sache nicht konfrontieren lassen«, sprach sie, stand auf und schritt in die Küche. Ich
hinterher.

Sie ging zur Espressomaschine, ließ sich einen Verlän-
gerten runter. »Solange man etwas nicht ausspricht, ist es
nur halb wirklich.«

Ich sagte: »Halb wirklich gibt es nicht, gibt nicht einmal ganz wirklich. Alle Wirklichkeit ist bloß Konstruktion.«

Sie ging nur insofern auf meinen geistreichen Hinweis
ein, als sie sagte: »Okay, seine Konstruktion von Wirklichkeit ist eben, dass sein Sohn aus einer zufälligen
Nacht eine Konstruktion macht, die es so nicht wirklich
gibt.«

Ich bat um eine nähere Erklärung, sie sagte, den Ver-
längerten schlückchenweise schlürfend: »Also, er denkt,
dass du denkst, dass er denkt …«

»Klartext, bitte!«, rief ich.

Sie süffelte den letzten Schluck Kaffee und sagte: »Er meint, dass du nun denkst, unsere Scheidung sei annulliert und dass du das seiner Frau erzählst, und wenn du es tätest, müsste er natürlich alles abstreiten und je weniger Indizien du für deine Version vorbringen kannst, umso leichter ist das für ihn.«

»Das hat er gesagt?«, staunte ich.

»Das hat er gemeint«, sagte sie. »Und jetzt bedaure mich gefälligst, dass ich eine Nacht an einen Ungustl vergeudet habe, der nicht zu dem steht, was er tut.«

Ich setzte mein Morgenteewasser auf und murmelte »Armes, armes Weib, du«, steckte eine Scheibe Wattebrot in den Toaster und wiederholte »armes, armes Weib, du«.

Sie setzte sich zum Küchentisch. »Okay, okay!«, rief sie. »Ich weiß, du bist ärmer, der Ungustl ist dein Vater, Partner sind austauschbar, da kann man es sich verbessern, bei Vätern geht das nicht!«

»Nichts dergleichen wollte ich melden«, sagte ich.

Fängt sie doch glatt zu heulen an und schluchzt was drauflos von einer verdammenswerten Mutter, die keinen besseren Vater für ihr Kind ausgesucht hat, dass sie sich ohnehin seit fünfzehn Jahren unermüdlich müht mir Vater und Mutter zu sein, dass sie aber weder das eine noch das andere auch nur halbwegs richtig hingekriegt hat und dass ihr armer Sohn nun weder einen richtigen Vater noch eine richtige Mutter hat, das sei in

Wirklichkeit auch der Grund dafür, warum ich so eine schlechte Beziehung zu ihr habe. Weil ich sie rollenmäßig nicht einordnen kann!

Natürlich tat mir die Frau Leid, aber den geschluchzten Plunder protestlos zur Kenntnis nehmen, konnte ich doch nicht. Ich bin kein Chef-Psychologe, aber dass sie in eigener und nicht in meiner Sache schluchzte, lag doch auf der Hand. Möglicherweise war das die postcoitale Tristesse, von der ich schon ein paar Mal gelesen habe. Und wenn es diese war, ist es kein Wunder, dass man sie quadratstark kriegt, wenn man mit einem Ex wie diesem verjährten Sex auffrischt.

Milde wies ich also darauf hin, wen sie da so heftig beschluchzte, aber sie lehnte strikt ab über sich selbst zu weinen. Nein, nein, so was überstehe sie »mit links«, das seien nur ein paar Turnübungen zu zweit gewesen, leider nicht einmal sehr erfreuliche, aber als Single müsse man hin und wieder für gewisse Bedürfnisse zu Notlösungen greifen, da solle ich mir keine falschen Vorstellungen machen.

Nun bin ich zwar echt nicht prüde, aber über meiner Mutter Intim-Details locker informiert zu werden, finde ich nicht als positive Erweiterung unserer gestörten Gesprächsbasis. Die Frau soll gefälligst den Anstand haben sich vor mir so weit als möglich bar aller Sexualität zu geben. Erstens überhaupt und zweitens, weil sie auch von der meinen rein gar nichts kapiert. Während ich noch nach Worten suchte um dies möglichst friedfertig schonend zu formulieren, war sie aber schon wieder weg von diesem Aspekt des Themas und bei meinem angeblichen Unglück mit meinem Vater und sie erklärte mir, schnäuzend und augenwischend, dass ich mein Vaterproblem nicht länger verdrängen dürfe, ich müsse mich der Wirklichkeit stellen, sie zur Kenntnis nehmen, dann werde es mir besser gehen. In Wirklichkeit sei ich tief verletzt von der Flucht meines Vaters aus meinem Leben und dem wäre in Wirklichkeit wahrscheinlich auch leichter, wenn ich offen meine Verletzung zugeben würde, denn auch er stehe in Wirklichkeit völlig hilflos da, und in Wirklichkeit …«

Als diese »Wirklichkeit« ein Dutzend Mal aus ihrem Zittermund gezischt war, reichte es mir. Vor allem deshalb, weil ich doch ein paar Minuten vorher gedacht hatte, sie habe begriffen, was gemeint war, als ich ihr gesagt hatte, jede Wirklichkeit sei nur eine Konstruktion.

Ich schrie sie an: »Wenn du noch einmal Wirklichkeit sagst, flippe ich aus. Kapier endlich! Du hast deine Wirklichkeit, ich habe die meine, der Ungustl hat die seine. Jeder konstruiert sich etwas zusammen, was er dann für Wirklichkeit hält, aber was da als Wirklichkeit wahrgenommen wird, sind nur lauter Konstruktionen, eine den gleichen Furz im Wald wert wie die andere. Das kannst du schon bei Demokrit nachlesen, dass alles Erkannte nur eine Spiegelung dessen ist, was erkannt werden soll.«

»Jetzt komm mir bloß nicht mit Demokrit daher, du

kleiner Klugscheißer«, schrie sie retour und ihr Gesicht färbte sich knallrot. »Wir reden von dir von mir und von deinem Vater. Das blöde Philosophengequatsche bringt uns nicht weiter, damit willst du nur von dir selbst ablenken statt zu dir selbst zu finden!«

Mehr als »Dumme Schnepfe« zu murmeln und die Küche zu verlassen, obwohl das Teewasser im Kessel gerade schrill zu pfeifen anfing, war da nicht! Außerdem ging es inzwischen auf ein Uhr zu und für Punkt eins hatte ich mich mit dem Erzeuger zum Spaziergang verabredet. In seiner Hotelhalle wollten wir uns treffen.

Ich stellte mich für zwanzig Sekunden unter die Dusche, dann für eine Minute unter den Ganzkörper-Fön, der eine schicke Neuerung in unserem Bad ist. Er kommt in einem dicken warmen Windstrom von der Decke runter und erspart einem das Trockenrubbeln mit dem Badetuch. Dann putzte ich noch meine plombenfreien Luxus-Beißerchen, rieb mir eine Doppelportion Wet-Gel ins Lockenhaupt, warf mich in die Klamotten, holte den rechten Latschen aus der Reisetasche raus, steckte ihn in eine Plastik-Tragetasche und jappelte los ohne der Alleinerzieherin baba zu sagen.

Lust auf einen Spaziergang mit dem Erzeuger hatte ich wahrlich keine, aber ihn abzusagen hätte wohl auch blöd gewirkt. Und der Schuh stand dem Mann vor seinem Abflug schließlich zu; war immerhin ein handgearbeiteter Maßschuh.

Da am Sonntag die U-Bahn bei uns in ziemlich großen Intervallen fährt und mir dazu noch eine vor der Nase weggeflitzt war, kam ich erst um halb zwei ins Hotel.

Der Herr Portier teilte mir mit, dass mein werter Herr Papa leider überraschend zu einer wichtigen Besprechung gerufen worden sei, aber für mich etwas hinterlassen habe. Er drückte mir ein Paket von einigem Gewicht in die Arme.

»Kommt mein Vater vor seiner Abreise noch einmal ins Hotel zurück?«, fragte ich den Herrn Portier.

»Sein Zimmer hat er schon geräumt«, sagte der Herr Portier und dann, mit Blick auf eine offene Tür, hinten in der Loge: »Sein Gepäck steht aber noch hier. Das holt er wohl ab, bevor er zum Flughafen fährt.«

Ich bat den Herrn Portier das Plastiksackerl zum Gepäck meines Vaters zu stellen.

»Ist dazu etwas zu bestellen?«, fragte mich der Herr Portier.

Ich ersuchte ihn um Stift und Papier, er reichte mir beides.

Eigentlich hatte ich vorgehabt einfach »Sorry, Sebastian« hinzukritzeln, aber als ich dann den Kugelschreiber in der Hand hielt, schrieb ich auf das hochherrschaftliche Hotel-Kartl: »Damit du deiner Frau nicht vorlügen musst, den habe dir die Russen-Mafia vom Fuße geraubt!«

War nicht gerade ein Geistesblitz, aber wenigstens irgendwie ehrlicher, denn sorry war ich keineswegs.

Ich steckte das Kartl in das Plastiksackl zum Schuh, verließ das Hotel, ging in den Burggarten rüber und setzte mich auf ein Bankerl. Das väterliche Paket irritierte mich, ich wollte nicht länger rätseln, was da drin sein könnte. Eingewickelt war es in weißes Papier, auf das in Abständen mit hellblauer Farbe »Demel« gedruckt war. Das hätte auf Konditorware im Inneren schließen lassen. Aber dafür war das Packerl viel zu schwer. Nicht einmal der üppigste Kuchen hat das spezifische Gewicht von Granit! Außerdem war das Papier absolut unprofimäßig rumgewickelt. Keine Demel-Verkäuferin verknittert ein Wickelpapier derart. Der Erzeuger hatte es wohl vom Demel-Paket, welches er für Weib & Kind als Mitbringsel erstanden hatte, in Ermangelung eines Packpapiers runtergenommen. Ich riss das Papier auf. Sein MacIntosh, allerneuestes Luxus-Model, lag auf meinen Knien! Samt Kabeln, auch eines zum Faxen, und der Bedienungsanleitung. Und ein Hotel-Kartl mit folgender handschriftlicher Mitteilung:

»Lieber Sebastian, tut mir Leid, dass ich dich nimmer sehen kann, bis zum nächsten Mal dann halt. Ich wollte dir noch eine Freude machen, aber in dieser vorgestrigen Stadt haben am Sonntag alle Geschäfte zu, so lasse ich dir mein Powerbook da, das wird dir sicher Spaß machen. Ich hoffe, damit ist alles OK, dein Vater.«

Einigermaßen verdutzt hockte ich auf dem Bankerl. War immerhin der erste an mir verübte Bestechungsversuch, und dass der gleich derartig üppig ausfällt, dürfte eine Rarität sein. Dafür, dass man etwas nicht tut, was man ohnehin nie getan hätte, den Gegenwert eines gebrauchten Kleinwagens zu kassieren, ist schon seltsam.

Ich wickelte den MacIntosh wieder ins Konditorei-Papier, nahm ihn unter den Arm und wieselte beflügelt zur U-Bahn. Nun hat endlich, sagte ich mir, die bittere Zeit des Herumhackens auf dem ausrangierten PC der Alleinerzieherin ein Ende. Direkt positive Emotionen für den Erzeuger löste das in mir aus. Bist auch nur ein armes Schwein, dachte ich mir fast gerührt, wenn dir nichts anderes einfällt um ein Problem zurechtzubiegen, als in Deckung zu gehen und etwas von deinem Besitzstand rauszurücken!

Daheim fand ich eine wieder gefasste, coole Mutter vor. Ich bezog sie in meine positive Stimmung ein, verzieh die verbale Entgleisung bezüglich meiner philosophischen Neigungen und führte ihr das Super-Modell von NoteBook vor.

Sie meinte, ich solle das Ding postwendend meinem Vater zurückschicken. Ich fragte sie, ob sie meschugge sei oder ob sie mir, falls ich es täte, ein gleichwertiges kaufen werde. Da gab sie sich schnell zufrieden. Im Grunde, meinte sie, stünde mir von ihm noch viel, viel mehr zu, weil die Alimente, die er zahlt, ohnehin nicht mal die Hälfte meiner »Unterhaltskosten« decken.

Wahrscheinlich hat sie es nicht böse gemeint, aber mir geht es unheimlich auf den Wecker, wenn sie von meinen Unterhaltskosten redet, wo sie genug Geld verdient um zehn Kinder zu ernähren. So fragte ich sie, ob sie vielleicht meine, dass das NoteBook nun eigentlich ihr zustehe, als minimale Abdeckung des Unterhaltskosten-Defizits. Aber sie war diesmal an keinem zweiten Tages-Streit interessiert, bat mich bloß nicht immer gleich so mimosenhaft zu sein.

Worauf ich mich mit der Neuerwerbung in mein Zimmer zurückzog um sie anhand der Bedienungsanleitung im Detail zu studieren und zu sehen, welche Programme mir der Erzeuger auf der Festplatte hinterlassen hatte.

11.

Von der bitteren Erkenntnis, dass Einsicht in eine fremde Konstruktion von Wirklichkeit zu einem Seelenzustand führen kann, in welchem Demokrit leider kein Beistand ist.

Gestern am späten Nachmittag rief mich die Alleinerzieherin vom Büro aus an und redete mir eine Wendeltreppe ins Knie, dass ich zu meiner Tante rüberradeln, von der ein Buch abholen und ihr dieses hurtigst bringen möge. Um einen Reiseführer für Portugal gehe es, den habe sie sich von einer Freundin ausgeborgt und mit der treffe sie sich in zwei Stunden zum Abendessen und diese Freundin müsse unbedingt schon heute den Portugal-Führer zurückhaben, denn den habe sie sich ebenfalls von einer Freundin ausgeborgt, und die werde morgen nun nach Portugal fahren, brauche ihr Eigentum also dringlich retour um sich zwischen Porto und Lissabon nicht zu verirren. Und sie selbst könne den verdammten Portugal-Führer nicht von ihrer Schwester holen, weil beim Tantenhaus nie ein freier Parkplatz sei, und den kleinen Gefallen werde ich ihr doch leicht erweisen können!

Ich wollte ihr den kleinen Gefallen zuerst nicht erweisen und riet ihr an, sich selbst ein Fahrrad anzuschaffen, um frei von Parkplatzsorgen Verliehenes einsammeln zu können; was freilich nur eine Ausrede war. Ich wollte die Tanten-Wohnung meiden, solange mir nicht klar war, wie ich mich zur Eva-Maria nun verhalten solle. Aber dann fiel mir ein, dass Mittwoch war und dass meine Kusine am Mittwoch ab 17 Uhr in ihrer Laienspiel-Gruppe Animations-Theater betreibt und dass ich sie daher daheim nicht mehr antreffen würde.

Also ließ ich mich gnädigst zum Botendienst erweichen und radelte los.

Die Putzfrau meiner Tante öffnete mir die Tür. »Tant nix kann weg von der Sofa, streicht der Zechen ein«, sagte sie. Sie ist Polin und noch nicht lange im Lande.

Meine Tante hockte im Seidenschlafrock auf dem Sofa im Wohnzimmer, die kurzen, nackten Beinchen von sich gestreckt und mit beiden sanft in der Luft rumwedelnd. Zwischen die Zehen hatte sie OB-Tampons geklemmt, vier an jedem Dickfüßchen, damit kein roter, noch nasser Zehennagel an der Haut der Nachbar-Zehe Spuren hinterlasse. Die hellblauen Rückholfädchen der Tampons flatterten allerliebst im Wedelwind.

»Nett von dir, Basterl, dass du das Büchel abholst«, sagte sie und wies mit einem Ärmchen in Richtung Eva-Maria-Zimmer. »Sei so nett und hol es rüber, ich kann da jetzt nicht weg. Deine Kusine hat drin geschmökert, es muss bei ihr drüben irgendwo rumliegen!«

Ich ging also in das Zimmer meiner Kusine und schaute mich nach dem Portugal-Führer um. Auf dem Schreibtisch war wie üblich das totale Chaos. Zuhauf lag da Vermischtes aus Schulheften und Zeitschriften, Bändern und rosa Steinen (die sammelt sie nämlich), gespickt mit Ohrklips, Halsketten, Spangen und allerlei Schreibgerät.

Ich vermutete den Reiseführer im Chaos und schaufelte ein bisschen drin rum. Und da hatte ich auf einmal ein sehr großes, dickes, brandrotes Heft in den Händen. Wäre so etwas wie *Tagebuch* draufgestanden, hätte ich es vielleicht gar nicht aufgeschlagen. Oder doch? Keine Ahnung!

Ich dachte jedenfalls nicht, dass sich darin persönliche, private Aufzeichnungen befinden könnten. Ich hielt das brandrote Ding für ein Schulheft, war sehr erstaunt, dass die Eva-Maria für ein Unterrichtsfach ein derart luxuriöses Schreibheft nimmt, und wollte nachschauen, welches Wissensgebiet ihr diese übertriebene Ausgabe wert sei. So schlug ich das Heft auf. Es war ein liniertes, und was die blauen Zeilen entlanggekritzelt war, war muttersprachlicher Text.

Dass es sich da nicht um Deutsch-Aufsätze oder die Mitschrift des Geschichtsunterrichts handelte, war mir auf den ersten Blick klar. Aber mein Interesse erwachte erst so richtig, als ich das Heft bis zur letzten beschriebenen Seite – ohne zu lesen – durchgeblättert hatte. Auf der standen nur mehr ein paar Zeilen, doch aus denen knallten mir etliche »Sebastian« in die Augen.

Wahrscheinlich gibt es Menschen, die nun sofort dieses brandrote Ding zugeklappt und wie eine heiße Kartoffel fallen gelassen hätten; was in diesem Fall nicht nur diskret, sondern vor allem das eigene Gemüt schonend gewesen wäre.

Aber bei mir überwog die Neugier und das war

schließlich beim aktuellen Stand der Beziehung zu meiner Kusine auch kein Wunder! Vielleicht, dachte ich mir, kann ich mich da schlau machen und erfahren, welches Verhalten sie von mir nun wirklich erwartet.

Ich blätterte etliche Seiten zurück, bis dorthin, wo meine liebe Kusine durch drei freigelassene Zeilen und einen Zierschnörkel in diesen angezeigt hatte, dass sie nun über anderes als das vorher Gekritzelte schreiben wolle, setzte mich auf den Schreibtischsessel und fing zu lesen an.

Eine wortgetreue Wiedergabe dessen, was ich da las, ist mir aus der Erinnerung natürlich nicht möglich. Ich verzichte auch auf ein Gedächtnis-Protokoll nach besten Kräften. Die Sprachgewalt meiner Kusine ist mündlich weit besser entwickelt als schriftlich und die lächerlichen Satz-Girlanden, welche sie aus banalen Wörtern windet, lohnen ehrlich nicht dupliziert zu werden.

Zusammengefasst stand da Folgendes: Die Eva-Maria hat sich vor Monaten schon in den wunderschönen Leiter ihrer Laienspiel-Gruppe total »verknallt«. Aber dieser Herr ist ein seniler Ex-Twen und irgendwann hat er auch einmal angedeutet, dass er sich nichts »aus jungem Gemüse« mache, sondern nur an reifen Frauen erotisches Interesse habe, was auch von etlichen Laienspiel-Mädchen nachgeprüft wurde, indem sie ihn nach Ende der Gruppenabende observiert und gesehen hatten, dass er vom Schulhaus zielstrebig jedes Mal auf ein Kaffeehaus zugesteuert war, wo er von einer »abgefuckten old beauty with fat ass« erwartet wurde. Nichtsdestotrotz aber meint die Eva-Maria, dass er von ihr ziemlich angetan sei, da gebe es gewisse Blicke von einer ihr »Gänsehaut auf dem Rücken« erzeugenden Intensität, die darauf deuten lassen, und dass sie ihn mit Geschick sicher so weit bringen könnte junges Gemüse nicht zu verachten. Bloß, meint sie, müsse sie, wenn es dann so weit sei, doch etwas »Erfahrung« haben. Sonst würde er sich schnell wieder von ihr ab – und den Fatass-beauties zuwenden. Und um sich diese Erfahrung zuzulegen, müsse sie praktisch üben, bis jetzt sei sie doch sexpraxismäßig ein unbeschriebenes Blatt und der einzige mühelose Übungspartner, der ihr da einfalle, sei ihr Kusin Sebastian. Den werde sie daher zwecks Sextraining verführen, das gehe ohne großen Zeitverlust, da er an den Wochenenden sowieso mit ihr auf dem Land aus Zimmermangel in einer Kammer schlafe, und zudem halte sie damit dem Laienspiel-Leiter auch die einseitige Treue! (Warum sie ihm da die Treue hält, wenn sie mit mir bumst, aber nicht mit jemand anderem, war dem Text nicht zu entnehmen.) Und das sei vielleicht sogar in des Kusins Sinne ein löblich Tun, denn möglicherweise sei der arme kleine Kerl durch ihre Schuld sexmäßig etwas verunsichert. Der neige leider dazu, alles urernst zu nehmen, so auch ihren einmal einfach dahingesagten-dahergeredeten Verdacht, dass er homo- oder bi-erotisch veranlagt sein könnte. Aber mit dem Knaben ist es eben nicht einfach, der wolle immer urtiefe Gespräche führen und sie wisse ohnehin nie, was sie wieder urtief daherquatschen solle, und wahrscheinlich wäre er stocksauer geworden, wenn sie ihn aufgeklärt hätte. Also habe sie halt weiter mitgespielt, sogar, als er den lächerlichen Klo-Häusl-Trip veranstaltet habe, obwohl sie sich da kaum mehr das Loslachen habe verbeißen können. Aber Spaß verstehe ihr Kusin, wenn es um ihn selber gehe, halt überhaupt nicht. Und immer noch besser über Sex zu reden, da weiß sie wenigstens halbwegs Bescheid, als darüber, ob es Gott gibt oder nicht, und warum es überhaupt etwas und nicht nichts gibt. Da schmilzt ihr doch glatt jedes Mal ein Viertelkilo Gehirnschmalz vor geistiger Anstrengung weg!

Und wenn sie ihn nun verführt, dann weiß er exakt, woran er ist, gefällt es ihm, sind zumindest eindeutig seine homo-Verdächte aus der Welt und er braucht sich sein geniales Hirn nicht länger darüber zu zermartern.

Schlaff wie ein Schluck Wasser in der Kurve hockte ich nach dem Lesen der letzten hingekritzelten Zeile auf dem Schreibtischsessel! Hätte vom Wohnzimmer her die Frau Tante nicht in Mini-Abständen »Findest das blöde Büchl nicht, Basterl?«, rübergekreischt, hätte ich mich wohl nicht einmal aufraffen können aufzustehen. Doch die Kreisch-Anfrage hörte nicht auf, also erhob ich mich, verließ, leicht taumelnd, die Kusinenkammer und kehrte zur Tante ins Wohnzimmer zurück. Die hatte sich inzwischen die Tampons von den Fußerln genommen, stand auch schon senkrecht und wanderte im

Wohnzimmer herum um mit einem wischenden Zeigefinger zu kontrollieren, ob die Putzfrau irgendwo zu schlampig Staub weggewedelt hatte.

Ich ließ mich aufs Sofa plumpsen und sagte, dass ich im Chaos meiner Kusine das Buch nicht finden könne. Die Frau Tante eilte hierauf selbst suchen und brachte den Portugal-Führer. Er war gar nicht bei meiner Kusine im Zimmer gewesen, sondern auf der Tante Nachtkastel.

Ich nahm das blöde Büchel entgegen und verabschiedete mich. Im Vorzimmer, als ich schon die Hand an der Türklinke hatte, nahm ein irrsinniger, masochistischer Gedanke von mir Besitz. Ich kehrte zur Tante zurück und frage sie: »Hast ein Blatt hellblaues Papier?«

»Warum hellblau?«, fragte sie.

»Weil hellblau die Antwort auf babyrosa ist«, sagte ich. Meiner Tante kann man ruhig solche Antworten geben. Die ist ein sehr schlichtes Gemüt und weiß, dass sie eines ist, und fragt, wenn sie etwas überhaupt nicht versteht, nicht lange nach um nicht für blöde gehalten zu werden.

Also legte sie bloß ein lackiertes Zeigefingerchen nachdenklich an die Unterlippe, sann kurz vor sich hin und sprach sodann: »Doch, Basterl, das habe ich!«

Sie ging zu ihrer Biedermeierkommode, zog ein Laderl auf und reichte mir ein festes babyblaues Blatt Briefpapier. »Kuvert auch?«, fragte sie.

Ich nickte und sie reichte mir eines nach. Ich setzte mich zum Esstisch und überlegte den Wortlaut meiner satanisch-masochistischen Botschaft, die so gehalten werden musste, dass sie für die Frau Tante keinerlei konkreten Hinweis ergab. Denn dass die Frau das Briefgeheimnis nicht achtet, wusste ich. Die öffnet sogar zugepickte Briefe über Wasserdampf um den Klebstoff weich zu kriegen und die Kuvertklappe unverletzt öffnen zu können!

Ich zückte meine Füllfeder und schrieb aufs Babyblaue: »Ok, ich gehe mit deiner diesbezüglichen Meinung absolut konform, nimm also baldigst zwecks Ausführung der Sache Kontakt zu mir auf!«

Hierauf faltete ich das Briefblatt, steckte es ins Kuvert, schleckte über den Kleberand, wobei ich mir in die Zunge schnitt, weil der Papierrand so scharf war, und verschloss das Kuvert. Vorne auf das Kuvert schrieb ich *für Eva-Maria* und übergab es der Tante mit der Bitte es ihrer Tochter auszuhändigen.

»Aber in ein paar Minuten müsste sie ohnehin heimkommen«, sagte die Tante. »Willst du nicht auf sie warten?«

Meine Tante ist eine träge Person und an einer dünnen Zimmertür lauschen ist allemal stressloser als ein Kuvert in der Küche über dem zischenden Teekessel zu öffnen, und vor allem, wenn dazu nicht viel Zeit bleibt, weil der Adressat jede Minute auftauchen könnte. Ich erklärte der Frau Tante, dass ich keine Minute länger Zeit hätte und wieselte zur Tür raus. Regelrechtes Herzklopfen hatte ich. Und den ganzen Weg über, während ich der

Kanzlei der Alleinerzieherin zuradelte, ging mir durchs Hirn: »Auf was willst du dich da jetzt einlassen?«

Die Frage geht mir auch jetzt noch durchs Hirn, ohne dass ich mir darauf eine vernünftige Antwort geben könnte, und dieses saublöde Herzklopfen setzt auch alle paar Minuten wieder ein. Aber ich weiß bloß, dass ich nicht willens – oder nicht fähig – bin mein Angebot zu stoppen. Ginge ja leicht. Müsste bloß anrufen und »Vergiss den hellblauen Wisch« sagen, »der war ein Irrtum!«

Ich werde mir aus der mütterlichen Bibliothek ein Buch über Masochismus rausholen; da hat die Frau sicher irgendwas in den Regalen. Vielleicht bringt mir das wenigstens minimale Erleuchtung bezüglich meiner Motive.

12.

*Wie ich abulierend in Pampers herumhocke, die
Alleinerzieherin wieder einmal von nichts auch nur den
geringsten Schimmer hat und das verdammte Wochenende
von Tag zu Tag einen Tag näher rückt.*

Falls man die Abulie, die aus dem altgriechischen Wortschatz herkommt und zu Deutsch ungefähr so viel wie Willenlosigkeit, beziehungsweise Entschlussunfähigkeit heißt, auch zeitwörtlich gebrauchen kann, dann *abuliere* ich vor mich hin, denn in mir hat sich die Überzeugung der Nutzlosigkeit alles Denkens und Tuns breit gemacht wie qualliger, zäher, milchglasiger Schleim.

Vom dynamischen Lebensmüden bin ich zum hilflosen Alete-Baby degeneriert. Kommt aber kein netter Mensch mit dem silbernen Löffelchen und füttert mir das nötige Erleuchtungs-Breichen rein! Wie in kackvollen Pampers sitze ich in meiner ausweglosen Lage fest und drücke die Scheiße bloß breiter und breiter.

Und die ahnungslose Alleinerzieherin, der mein übler Zustand aufgefallen ist, weil ich in ihm auch unfähig bin, Nahrung in normaler Menge zu mir zu nehmen, sagt noch, als wolle sie mich verhöhnen: »Na, Sebastian, am Wochenende, in der guten Landluft, da wird sich dein Hunger schon von selbst wieder einstellen.«

Was hätte die gute Frau wohl gesagt, wenn ich ihr darauf geantwortet hätte: »Bis dahin muss sich dein Sohnemann aber noch überlegt haben, ob er in der guten Landluft mit seiner Kusine Geschlechtsverkehr versuchen oder davor kneifen soll!«

Wahrscheinlich hätte sie wieder einmal ihren befreundeten Psychologen angerufen und ihn um einen Blitz-Termin angefleht.

Einen viertel Kubikmeter verstaubter Masochismus-Literatur habe ich mir im Laufe der letzten Tage aus der mütterlichen Bibliothek in mein Zimmer rübergeholt. Aber ich bringe es einfach nicht! Ich bin zur Zeit, wie mein Pultnachbar Michael das immer so anschaulich nennt: bis zehn Zentimeter über den Schädel deppert.

Das ist mir noch nie passiert, seit ich lesen kann, dass ich vor einem Text hocke, saublöd auf die Zeilen starre und überhaupt nicht mitkriege, was da geschrieben steht. Ich kann nicht nur den Maso-Scheiß nicht lesen, ich kann überhaupt nichts mehr lesen, nicht einmal eine lächerliche Tageszeitung. Gerade das TV-Programm auf der letzten Seite kapiere ich noch halbwegs.

Denken kann ich auch nicht mehr. Keinen einzigen klaren Gedanken kriege ich zusammen, egal, worüber ich einen fassen will. Ist natürlich alles in meinem Schädel drinnen, was man zum Denken braucht. Es lässt sich bloß nicht vernünftig zusammenbauen. Es geht mir wie einem, der Säcke voll schönster Perlen hat, aber kein bisschen Schnur um sie zu einer Kette aufzufädeln.

Übrigens geht mich der ganze wissenschaftliche Maso-Scheiß in diesem viertel Kubikmeter Fachbuch sowieso nichts an. Dass ich beabsichtige, mich freiwillig demütigen und zur absoluten Untersau machen zu lassen, habe ich schon gewusst, bevor ich vergeblich versucht habe, mich in die moderduftenden Seiten zu vertiefen. Eine »Fallstudie«, die meinem Fall auch nur irgendwie ähnlich wäre, gibt es da drinnen nicht. Der Quatsch betrifft bloß den rein leiblichen Masochismus, nicht so einen seelischen, wie er mir innewohnt. Was geht mich ein Generaldirektor X. an, der zweimal wöchentlich einer lackledergewandeten Prostituierten dafür Höchstpreise zahlt, dass sie ihm ein Hundehalsband mit Stacheln um den Hals legt, ihn auf allen Vieren an der Leine rumkriechen lässt und ihm mit der Hundspeitsche eins über den Fettarsch zieht, wenn er nicht brav am Bettpfosten das Haxerl hebt, sondern auf den Teppich pinkelt?

Wahrscheinlich gibt es auch Fachbücher, wo meine Spezialsorte von Masochismus durchgeackert wird, aber meine Frau Mutter ist eine Fachidiotin und als solche hat sie sach- und fachbuchmäßig nur, was möglicherweise in den Bereich des Strafbaren fallen könnte. Und strafbar ist es ja nicht, wenn die Eva-Maria mich zum »Üben« benützen will und ich mich benützen lasse. Wobei ja noch gar nicht raus ist, ob ich überhaupt fähig bin die gewünschte Nutzleistung zu erbringen. Wie stellt sich das dumme Hirschkalb das denn eigentlich vor? Mit einem in der Zwei-Personen-Praxis völlig Unerfahrenen wie mir will sie üben um hinterher bei einem Erfahrenen perfekt zu sein? So was von beschickert! Umgekehrt wäre es eher einleuchtend.

Mein Wissen um den Geschlechtsakt ist doch ein rein theoretisches. Im Grunde ist es überhaupt keines, denn Wissen heißt schließlich, Erfahrungen und Einsichten haben, die subjektiv und objektiv gewiss sind, aus denen Urteile und Schlüsse gebildet werden können, die ebenfalls sicher genug erscheinen um als Wissen gelten zu können.

Im Moment weiß ich zwar nicht, was das bedeutet, aber es stimmt sicher, denn ich habe es in Zeiten, wo ich noch denken konnte, genau gewusst; sonst wäre es mir nicht als Merksatz im Kopf geblieben.

Wenn meine Kusine meint, es sei bumsmäßig bei mir auch nur die geringste Weiterbildung zu holen, hat sie sich schwer geschnitten.

In meiner diesbezüglichen nachholbedürftigen Ratlosigkeit habe ich vorgestern den absolut lächerlichen Versuch unternommen mich via Privat-Fernsehen ein wenig schlauer zu machen. Die Ausbeute war aber gering, denn die bringen ihre Siebziger-Jahre-Soft-Pornos immer erst am Wochenende. Zu einem einzigen vertrottelten Sex-Filmchen habe ich mich durchgezappt, aber an dem hätte sich höchstens die Eva-Maria abschauen können, wie ein weiblicher Teeny im Bett zu stöhnen, an sich selbst rumzufummeln und unentwegt mit der Zunge über ihre Unterlippe zu lecken hat. Der männliche Part kam, wenigstens so lange ich zuguckte, nur minimal ins Bild. Und mit seinem aktiven Körperteil überhaupt nicht. Nicht einmal gestöhnt hat er.

Und sehr lange konnte ich den Schmarrn nicht observieren, denn wir haben nur im Wohnzimmer einen Kabelanschluss. Der alte Fernseher in meinem Zimmer kriegt bloß unsere zwei einheimischen pornofreien Staatssender rein und auch die ohne Farbe.

Schon während des ersten, sexunterbrechenden Werbeblocks kam die Alleinerzieherin von einem Mozart-Konzerterl heim, flätzte sich neben mich aufs Sofa und hielt mir einen Vortrag darüber, dass in fünf Minuten Mitternacht sein werde und ich garantiert nicht weiterwachsen werde, wenn ich dauernd den gesunden Schlaf vor Mitternacht versäume.

So unverblümt sagte sie es natürlich nicht, sie achtet ja stets darauf, meine Körperkürze mit keinem Wort zu erwähnen. Aus angeborenem Taktgefühl. Vielleicht auch um mich nicht in »Wachs-Stress« zu versetzen und dadurch in psychosomatische Kleinwüchsigkeit. Sie tut immer, als ob ihr gar nicht auffiele, dass ich drohe zu kurz zu geraten. Sie ist sogar derart dezent, dass sie nie stehend mit mir redet, damit sie nicht auf mich runterschauen muss. Da setzt sie sich sofort wohin. Ich vermute, das hat ihr der Trainer in dem Führungskräfte-Seminar für den Umgang mit Klienten beigebracht, wenn diese kleiner als sie selbst sind. Aber mir ist klar, was sie meint, wenn sie sagt, in der Wachstumsperiode brauche der Jugendliche viel Schlaf.

Gestern versuchte ich sogar mir im Video-Laden auf der Hauptstraße unten ein paar einschlägige Kassetten zu leihen. Auswahl an diesem Schweinekram haben die dort ja reichlich. Doch als ich mit drei wahllos rausgegrapschten Hardpornos zur Kasse kam, wollte die uralte Weibsperson hinter der Theke meinen Ausweis sehen. »Diese Sachen werden nur an Leute über achtzehn abgegeben, Burscherl«, belehrte sie mich.

Es war natürlich absolut kein Anlass, wegen der milde grinsenden Schrumpel-Schnepfen in den Erdboden versinken zu wollen, aber mir war trotzdem sehr danach. Ich versuchte gar nicht den ausweislosen Großjährigen zu mimen, ich klatschte ihr die drei Schweinekram-Kassetten aufs Pult und jappelte aus dem Horror-Laden. Und die Alte kreischte hinter mir her: »Blöder Gschrapp, macht sich eine Hetz draus, eine alte Frau zu pflanzen!«

Übrigens: Mir mangelt es zwar an der Schnur um meine Denk-Perlen auf die Reihe zu kriegen, aber dafür habe ich ein sehr lächerliches Bild vor Augen, das alle paar Minuten dort auftaucht, ganz egal, wo ich gerade bin, ganz egal, was ich gerade mache.

Heute Vormittag in der Schule war es überhaupt nicht zu vertreiben, ging nicht einmal für ein paar Sekunden weg.

Ich sehe das bäuerliche Mini-Gemach vor mir, in welchem ich mit meiner Kusine zu übernachten pflege, der Mond scheint zum kleinen Fenster rein, und nackend, wie ein mitleidloser Gott mich schuf, stehe ich mondumstrahlt einer nackenden Eva-Maria gegenüber.

So deutlich dieses Bild auch ist, sogar die Muster der bunten Sechsecke der Patchworkdecke auf dem Bett der Eva-Maria sehe ich exakt und die braunen Saftspritzer auf dem blau-weiß karierten Schirm der Nachttischlampe, aber ob mein Penis erregiert ist oder schlaff runterbaumelt, das sehe ich nicht. Weil ich die Eva-Maria anstarre und nicht meinen Unterbauch. Und da ich dieses Bild ja »von außen« sehe, so als ob mir jemand ein Foto vor die Nase hielte, kann ich mich leider auch nicht reinfühlen in den Kerl, der da blöde im Mondschein steht.

Ich habe heute sechs lange Schulstunden damit zugebracht, aus diesem »Standfoto« einen Kurzfilm zu machen. Es war vergebliche Mühe! Es ist mir nicht einmal gelungen, den Nackerten zu zwingen seinen Blick – Nachschau haltend – auf den Unterbauch zu senken.

Eben bin ich kurz ins Badezimmer rübergegangen um an eine Nagelschere zu kommen. Mir fällt nämlich auch das Sätzezusammenstoppeln sehr schwer und da entspannt es mich einigermaßen, wenn ich zwischendurch die Finger von der Tastatur nehme und an einem von ihnen ein bisschen herumnage. Da ich aber kein gelernter, psychisch-fixierter Nagelbeißer bin, habe ich mir dabei den linken Mittelfingernagel eingerissen und bedurfte also eines Werkzeugs um ihn kurz zu schnipseln.

Und wie ich mit dem ratzeputz abgeschnittenen Mittelfingernagel wieder aus dem Badezimmer rauskomme, höre ich durch die offene Arbeitszimmertür meine Mutter, wohl in den Telefonhörer rein, weil ja sonst niemand anwesend war, sagen: »Ach, so genau weiß ich das auch nicht, aber im Moment befleißigt er sich keiner besonders auffälligen Widerwärtigkeiten, ich denke, es geht meinem kleinen Narziss im Moment ganz gut, er scheint mir ausgeglichen.«

Meinem Zimmer zulatschend, dachte ich mir: Hat die Frau denn eine neue Beziehung und ist mir diese vor lauter Abulieren entgangen? Sonderbar! Sonst, wenn sie einen neuen Herrn an Land gezogen hat, posaunt sie das doch so heftig aus, dass es nicht einmal ein Abulierender überhören kann! Aber wenn ich jetzt so vor meinem MacIntosh sitze und mich über den linken Zeigefingernagel kauend hermache, beschleicht mich der Verdacht, dass die perverse Frau vielleicht *mich* gemeint haben könnte.

Ich, der Wahrnehmung der Alleinerzieherin nach, ein Narziss? Das wäre zu überdenken, wenn ich denken könnte! Und je länger meine Schneidezähne den linken Zeigefingernagel bearbeiten, umso mehr kann ich mich mit dem Gedanken, Narziss zu sein, anfreunden, er erscheint mir geradezu wie der begehrte Silberstreifen am Horizont.

Neudenken zu versuchen tue ich mir in meiner beschissenen Lage erst gar nicht an, aber ein paar längst in meinem Hirn eingravierte Bildungsbrocken kann ich doch noch aus meinen Hirnzellen rauslocken. Also:

Narziss, der schöne Jüngling, verschmähte die Liebe der Echo und wurde dafür mit Selbstliebe bestraft. Und so verzehrte sich der Trottel in Sehnsucht nach seinem Spiegelbild, welches er im Wasser erblickt hatte. Bis die Götter seiner Qual ein Ende setzten und ihn in eine Narzisse verwandelten.

Und in der Psychologie ist der Narzissmus die Verliebtheit in sich selbst, auch Autoerotik genannt. Und Autoerotik ist beim Kleinkind normal, wie zum Beispiel das Daumenlutschen, aber bei denen, die keine Kleinkinder mehr sind, eine Regression! Und Regression ist der Rückfall gehemmter Triebe auf unreife, kindliche Formen der Befriedigung!

Und was nun?

Vielleicht: Ich brauche mir gar keine Schnur mehr zum Auffädeln von homo-bi-hetero-Kusinen – Sex-Perlen zu suchen! Wenn ich ein regressiver Autoerotiker bin, zurückgefallen auf kindliche Formen der Befriedigung, dann verbringe ich einfach meine restlichen siebzig Lebensjahre mit Daumenlutschen und die Sache hat sich!

Und möglicherweise verwandelt ja auch mich ein erboster Gott noch vor dem Wochenende in eine Narzisse.

Frau Mutter, manchmal bist du doch in Problemlagen eine erstaunlich hilfreiche Person!

13.

Davon, dass auf Götter und auch Tanten kein Verlass ist,
wodurch mein Eva-Maria-Konflikt stagniert und ein Buch
auf dem Komposthaufen landet.

Kurz referiert: Der Freitag kam heran, die Eva-Maria
meldete sich bei mir nicht und kein erboster Gott ver-
wandelte mich in eine Narzisse. Bloß die sehnsüchtige
Hoffnung darauf ließ mich so weit durchdrehen, dass
ich jedes Mal, wenn ich beim Duschen oder Pinkeln an
mir runterschaute, vermeinte, mein Pimmel sei statt von
schwarzen Schamhaaren von weißen Narzissenblüten
umkränzt.

Echt und ehrlich, ich sah sie! Allerdings etwas verschwommen und milchglasig durchsichtig. Ich meinte
sogar sie dezent zu erschnuppern!

Der Abfahrtstermin ins Ländliche raus ist bei uns üblicherweise für Samstag, 14 Uhr, angesetzt. Abwech-
selnd benutzen die Schwestern ihre Karren zur Reise.
Diesmal war die Alleinerzieherin an der Reihe.

Am Samstagmorgen, in der Straßenbahn, auf dem
Weg zur Schule, beschloss ich mangels einer besseren
Idee zu erkranken, um der Wochenend-Konfrontation
mit der Eva-Maria zu entgehen. Ich lebte mich den ganzen Vormittag über derart in einen darmgrippigen Zustand ein, dass ich gegen zwölf Uhr tatsächlich zartes
Gedärmrumoren bekam. Klang wie Harfe im Frühlings-
wind. Um ein Uhr befiel mich zudem noch Gesichts-

blässe. Meine vier Liter Blut hatten sich wohl alle im Bauch versammelt um dort das Rumoren zu unterstützen. Der Michael attestierte mir die fehlende rosige Wangendurchblutung mit: »Hörst, heute schaust du aus wie ein frisch gekotztes Apfelkompott!«

Heimzu, der Bim entstiegen, wankte ich direkt schon. Meine Knie waren gummibärliweich und mein Mund verkniffen, vom verhaltenen Stöhnen.

Sehr zufrieden legte ich mich also im Wohnzimmer aufs Sofa, breitete, obwohl es wirklich affenheiß war, eine Wolldecke über meinen Leib, lauschte dem Harfensound aus dem Gedärme und fühlte mich im Leo.

Für den, der nicht weiß, was ein Leo ist: So nennen die Kinder bei uns beim Fangerl-Spielen den vorher bestimmten Platz, an welchem man, so man sich hinflüchtet, nicht gefangen werden darf. Allerdings ist dort nicht auf ewig Asyl zu finden. Der Fänger kann sich im Drei-Meter-Abstand vor dem Leo aufstellen und mit beiden Armen im Kreise rudernd dreimal schreien: »Radl, Radl renn aus, wer net ausrennt, der is's!« Und wenn es dem im Leo befindlichen Kind nicht gelingt, während dieser Zeit aus dem Leo, am Fänger vorbei, zu flüchten, muss es selbst den Fänger machen.

In meinem Fall vertrieb mich die Alleinerzieherin aus dem Leo. Sie kam gegen ein Uhr heim, putzmunter und vital, ließ sich zu meinen Füßen auf der Sitzbank nieder und erzählte mir ganz begeistert von einem fetten Fisch, den sie an Land gezogen habe, und dass sie dem garantiert jede Menge Kaviar aus dem Leib holen werde, weil der ihren Rechtsbeistand für einen Prozess wünsche, welcher gut und gern zwei, drei Jahre dauern könnte. Und sie habe bereits Erkundigungen eingeholt über des Fisches Finanzlage und die sei danach, dass er sich auch zehn Jahre lang gesalzene Anwaltshonorare leisten könne, und soweit es ihre Standesehre zulasse, werde sie den Prozess in die Länge und Breite walzen.

So aufgekratzt war die junge Frau Staranwalt, dass sie meine waagerechte Krankenlage überhaupt nicht zur Kenntnis nahm. Ich stöhnte mehrmals verhalten, aber auch das fiel ihr nicht auf. Sie hockte da wie der personifizierte Senkrecht-Starter und ratschte mir ihr Klienten-Glück runter. Und fünfzehn Minuten vor zwei Uhr rief sie dann hektisch: »O Gotterl eins, schon so spät, jetzt haben wir uns aber total verplaudert, wir müssen sofort los, kennst ja deine hysterische Tante, die steht doch Punkt zwei mit Sack und Pack vor der Haustür.«

Sie sprang auf, raste ins Vorzimmer raus, holte ihre kleine Reisetasche aus dem Schrank und rannte ins Badezimmer um ihren Kosmetik-Schatz. Wochenend-Klamotten hat sie im Bauernhaus reichlich lagern. Aber ihre diversen Creme-Töpfe schleppt die Frau immer hin und her, denn in denen ist Gesichtsfett, das angeblich leicht ranzig wird, und da wären Extra-Landhaus-Tiegel, bloß an den Wochenenden benutzt, nicht angebracht.

Dann kam die Frau ins Wohnzimmer zurück und entnahm ihrer Aktentasche Unterlagen über den Kaviar-

Fisch und stopfte sie auch noch zu den Creme-Töpfen in die Reisetasche. Und die ganze Zeit über greinte sie mir zu: »Nun mach schon! Erheb dich gefälligst und hol dein Binkerl!«

Mehrmals tat ich das Maul auf um ihr zu sagen, dass es in meinem Darme harfe und ich daheim zu bleiben gedenke. Keine Ahnung, warum kein diesbezüglicher Ton aus mir rauskam. Noch weniger Ahnung, warum ich plötzlich brav aufstand, ins Vorzimmer rausging und meine Land-Tasche aus dem Schrank grapschte. Einzupacken hatte ich nichts. In der Tasche ruhten noch vom letzten Landhaus-Wochenende her ein paar T-Shirts, Nietzsches »Fröhliche Wissenschaft«, etliche Boxershorts und Lamy-Roller sowie meine neuen noname-Hufe mit den sechs Zentimeter dicken Sohlen, die ich noch nie zu tragen gewagt hatte, aus Angst, jemand könnte mir unterstellen, ich wollte auf diese Weise größer erscheinen.

Stocksteif stand ich, mit den Taschenhenkeln in der rechten Pfote, im Vorzimmer. Warum, um alles in der Welt, fragte ich mich, machst du das, guter Knabe? Als Antwort fand ich bloß, dass ich mir selbst ein noch größeres Rätsel sei, als bisher vermutet!

Like a puppet on the string strampelte ich hinter der Alleinerzieherin aus dem Haus und zum Halteverbot hin, in dem sie ihren Wagen abgestellt hatte. Unter Jubelquietschern darüber, dass kein Strafmandat hinter den Scheibenwischern klemmte, schmiss die Alleinerzieherin unsere Reisetaschen in den Kofferraum und sich hinter das Lenkrad. Ein paar Sekunden stand ich vor der hinteren Wagentür und durch meinen Schädel flutschte: Jetzt ist gleich die letzte Chance im Leo zu bleiben vorüber. Sag endlich was oder dein Schicksal nimmt seinen bösartigen Lauf!

Ich sagte nichts. Ich stieg in den Wagen. Und die gute Frau brauste verboten geschwind los.

Meine Tante und die Eva-Maria harrten tatsächlich bereits vor der Haustür. War ja auch schon Viertel nach zwei. Vor ihnen auf dem Boden standen zwei prallgefüllte Tragetaschen, drei reichlich bestückte Körbe und vier Binkerln. Die beiden reisen gern mit Gepäck der Sorte »Türkenkoffer«.

Meiner Tante weitschweifigen Leib bedeckte ein Kostüm von rarer Scheußlichkeit aus schwarzweiß kariertem Stoff, jedes Karo so groß wie eine PC-Diskette.

»Pepita für Kurzsichtige«, kommentierte die Alleinerzieherin das schwesterliche Qutfit vergnügt, dann forderte sie mich auf der Tante zu helfen die Türkenkoffer zu verstauen. Sie blieb faul hinter dem Lenkrad sitzen, rief bloß verlogen zum offenen Wagenfenster raus: »Tollschick, dein neues Kostüm, Erika!«

Während ich zur einen hinteren Wagentür raustieg, stieg bei der anderen die Eva-Maria ein. Sie hatte eine »News« unter dem Arm, und kaum hockte sie im grauen Leder, schlug sie die Zeitschrift auf und vertiefte sich in einen Artikel.

So gut es ging, schichtete ich den ganzen Tanten-Kram im Kofferraum. Doch ein Strohkorb war beim besten Willen nimmer unterzubringen. So sagte ich: »Den stelle ich hinten auf die Ablage!«

»Aber vorsichtig, bitte«, rief meine Tante. »Der Korb muss heikel behandelt werden, da ist unsere Sonntagstorte drin! Ich hab meinen Schlafrock drübergelegt, damit ihr auf der Fahrt nichts passiert!« Dann stöckelte die groß karierte Person den Beifahrersitz an, ließ sich draufplumpsen und machte ihrer Schwester Vorwürfe wegen unserer üblichen Unpünktlichkeit.

Ich bemühte mich den Korb auf der Ablage zu verstauen, wobei ich es vermied, meine Kusine anzusehen. Aber der Korb hatte einen blödsinnig hohen Henkel. Ohne den krumm zu biegen war das Monstrum dort nicht zu platzieren. Ich versuchte mich im Weidengeflechtkrümmen, doch meine Tante unterbrach ihre Vorwurfssuada und kreischte: »Basterl, so ruinier doch mein schönstes Körberl nicht!« Und dann fügte sie noch hinzu, dass das Körberl sowieso auf der Ablage nicht günstig untergebracht wäre, denn da sei es der Sonnenbestrahlung ausgesetzt und diese könnte die Tortenglasur zum Schmelzen bringen.

»Zwischen euch zwei Grashüpfern wird der Korb doch wohl noch Platz haben«, greinte meine Mutter ungeduldig.

Ich klappte also die gepolsterte Mittel-Armlehne hoch und stellte den Korb dorthin. Dann ließ ich mich neben dem Korb nieder. Die Eva-Maria quetschte irgendwas Zweisilbiges, ohne von der Zeitschrift aufzublicken, zur Begrüßung zwischen den Zähnen raus, dürfte wohl »servus« gewesen sein. Meine erfolglosen Versuche den Korb auf der Ablage unterzubringen, hatten den tortenschützenden Seidenschlafrock durcheinander gebracht. Ein Ärmel baumelte über den Korbrand. Ich wollte ihn zurückstopfen, aber die Schlafrockseide war unheimlich rutschig, den Ärmel kriegte ich zwar rein, dafür hingen nun ein Zipfel vom Vorderteil und ein Stück vom Gürtel raus. Weil ich mich ohnehin mit irgendetwas eingehend beschäftigen wollte, zog ich den Schlafrock ganz raus um ihn wieder schön ordentlich zusammenzulegen. Und wie ich mich so mühe, den Seidenhaufen in meinem Schoß in Form zu bringen, spüre ich im Spinnwebenweichen etwas Hartes. Flach, kantig, rechteckig, postkartengroß. Ich lüpfe ein paar seidige Überwerfungen und erblicke eine Schlafrocktasche, aus der eine Ecke eines hellblauen Kuverts rausblitzt. Ich zupfe an der Ecke und habe meinen Brief an die Eva-Maria in der Hand. Verschlossen, unversehrt, garantiert auch nicht über Dampf geöffnet und wieder verklebt, denn diesen Neugierdsakt erkennt man am schrumpeligen Klappenrand.

Die Möglichkeit, dass meine Tante den Brief einfach vergessen und ihn ihrer Tochter nicht aushändigen könnte, hätte ich eigentlich einkalkulieren müssen! Schließlich ist ihre Vergesslichkeit bekannt. Sie ist so ein

Aus-den-Augen-aus-dem-Sinn-Typ, pro Saison verbraucht sie fünf Regenschirme, die Scheinwerfer ihres Autos abzuschalten, wenn sie aussteigt, gelingt ihr nur jedes zweite Mal und Termine, die sie sich nicht mit fünf Zentimeter großen Lettern in den Kalender schreibt, verschwitzt sie. Ich vermute, bei meiner Tante hat nur ein einziger Gedanke im Hirn Platz. Applemäßig ausgedrückt: Ihre Festplatte ist winzig, mehr als »Eva-Maria Brief geben« geht da nicht drauf. Und falls die Putzfrau vor der Heimkehr meiner Kusine zu meiner Tante gesagt hat, »Mussen Wece-Ente kaufen«, hat meine Tante von ihrer Festplatte das »Eva-Maria Brief geben« löschen müssen, damit sie den WC-Enten-Auftrag draufkriegt.

Dass ich damit überhaupt nicht gerechnet hatte und mir dadurch eine Wahnwitzwoche bescherte, ist im Grund nur typisch für einen, der es beinhart darauf anlegt, sich einen Rucksack voll Lebensqual aufzubuckeln.

War ich erleichtert, als ich den ungeöffneten Brief in der Hand hielt? Ich fühlte mich eher wie das Holzmanderl, das beim Mensch-ärgere-dich-nicht rausgeworfen wird und zurück an den Start muss. Jedenfalls drückte ich den Fensterheber und warf, als die Scheibe in der Tür versunken war, den Brief in den Fahrtwind raus. Er wollte sich zuerst nicht von uns trennen, klatschte an die Heckscheibe und pickte dort kilometerlang, bis er, durch ein Bremsmanöver meiner Mutter irritiert, den Klebe-Platz aufgab und dem Pannenstreifen zuflatterte.

Die Eva-Maria hatte gar nicht bemerkt, dass ich Ballast abgeworfen hatte. Sie hatte bloß indigniert die Stirn gerunzelt, als der Luftzug durchs offene Seitenfenster die Zeitschrift in ihren Händen gebläht hatte. Doch lang hatte sie dieses Ungemach nicht erdulden müssen, denn kaum war das Fenster offen, hatte meine Tante bereits geklagt »Zug vertrage ich nicht!« und ich hatte die Scheibe wieder hochschnurren lassen.

Den Rest der Fahrt verbrachte ich, gekrümmt ins Leder geschmiegt, Gesicht zum Fenster hin, mit geschlossenen Augen, hirnmäßig pseudoaktiv. Ich wollte mir aufbauend zureden. Mein Gutester, sagte ich zu mir, das Holzmanderl ist zurück an den Start verwiesen, hat nun absolut keinen Anlass mehr zu Panik, sollte daher wieder in Normalqualität denkfähig sein und sich überlegen können, wie es sich zu verhalten habe.

Der freundliche Ego-Zuspruch half nicht, die Ratlosigkeit blieb. So tun, als ob ich nicht im roten Luxus-Schreibheft gelesen hätte, und einfach weiter zuwarten? Demütigend! Dann schon eher der Eva-Maria entgegenschleudern, dass ich ihre Ergüsse gelesen hatte! Aber wie das anlegen? Cool, zynisch, ohne mit einer einzigen Wimper zu zucken? Würde ich doch vermutlich nicht schaffen! Ihr sagen, wie sehr sie mich verletzt hat, dass sie mir den einzigen Menschen geraubt hat, der mir wirklich vertraut gewesen ist, bei dem ich mich sicher und geborgen gefühlt habe? Wehleidiger Unfug, meiner unwürdig! Und dann fiel mir »Die Fröhliche Wissenschaft« in meiner Reisetasche ein. Die hatte ich bereits vor etlichen Wochen reingelegt um sie mir in geruhsamen Wochenendstunden zu Gemüt zu führen. Damit ich meine Nietzsche-Wissenslücke, wenn schon nicht füllen, so doch wenigstens knopflochartig umschlingen könnte. Aber sooft ich das Büchl auch aufgeschlagen hatte, ich hatte es schnell wieder zugeklappt. Der Mann lag mir einfach nicht. Nur ein Satz von ihm hatte mir urgut gefallen. Am Anfang eines Absatzes ist er gestanden, aber damals hatte ich keine Zeit zum Weiterlesen gehabt, da meine Tante zum Aufbruch heimwärts gedrängt hatte. Und so hatte ich schnell den Satz mit rotem Stift unterstrichen um ihn bei Gelegenheit wieder zu finden. Obwohl das Buch meiner Mutter gehört und die es nicht leiden kann, dass in Büchern herumgestrichen wird. Der Satz lautet: »Eines ist Noth. Seinem Charakter Stil geben – eine große und seltene Kunst!« Sollte wohl heißen, dass das menschliche Dasein nur dann erträglich ist, wenn man es schafft, Ethik und Ästhetik unter einen Hut zu bringen.

In die lederne Polsterung gedrückt erschien mir plötzlich diese »Nothigkeit« als brauchbarer Ratschlag für mich. Ich muss mir, sagte ich mir, die große und seltene Kunst zusammenbasteln bei der anstehenden Aussprache mit der Eva-Maria alle ethischen Belange, meinem Charakter gemäß, ästhetisch stilvoll vorzutragen, dann steige ich ohne zuzüglichen Riss durchs Gemüt aus. Wer im Besitz eines Charakters mit Stil ist, der ist gefeit gegen eine unsensible, hinterhältige Urschel von einer bösartigen Kusine!

Als die Alleinerzieherin den Wagen vor dem Bauernhaus einparkte, hatte ich aber noch immer keine konkrete Vorstellung davon, wie meine aktuelle Wochenend-Ethik und meine Wochenend-Ästhetik komfortabel zu vereinbaren seien.

Ich sprang aus dem Wagen, riss den Kofferraumdeckel hoch, schnappte meine Reisetasche, zog den Zipp auf, fischte die »Fröhliche Wissenschaft« raus und jappelte um das Haus rum, um mich Nietzsche studierend im Grase niederzulassen. Hinter mir her tönte das Gekeif der Schwestern, die es empörend fanden, dass ich mich vom Transport alles Mitgebrachten ins Haus rein schon wieder einmal drücke.

Es war der totale Flop! Erstens, weil ich mich in meiner Hektik nahe an einen mit Thymian überwachsenen Ameisenhaufen gesetzt hatte und mir Unmengen der Biester in die Klamotten reinkrabbelten, und zweitens, weil mir die Sätze hinter dem rot unterstrichenen Satz keine brauchbare Anleitung zum Erlernen der großen und seltenen Kunst boten. Nur, dass sie der übt, welcher überblickt, was seine Natur an Kräften und Schwächen bietet, und das dann in einen künstlerischen Plan einfügt, bis ein jedes als Kunst und Vernunft erscheint und auch die Schwäche noch das Auge entzückt! Oder so ähnlich. Und dass man die zweite Natur hinzutragen muss und die erste Natur abtragen, in langer Übung und täglicher Arbeit, um das Hässliche zu verstecken oder ins Erhabene umzudeuten. Und ähnlicher Quatsch mehr!

Ich verzichtete darauf, die letzten paar der diesbezüglichen Zeilen zu lesen, und machte mich auf Ameisenjagd in meinen Textilien. Da ich aber, etwas hysterisch geworden, bald nicht mehr unterscheiden konnte, wo tatsächlich etwas auf meiner Haut krabbelte und wo mir irritierte Hautnerven Gekrabbel vorgaukelten, lief ich ins Haus rein und strebte dem Badezimmer zu. Ich wollte mich der ameisenverseuchten Kleidung entledigen und etwaige Rest-Viecher vom Leib duschen.

Im Badezimmer stand allerdings die Alleinerzieherin, mit einer dicken Schicht fliederfarbenen Gatsches auf Gesicht und Hals. Schönheitsmaske als Start ins regenerierende Wochenende ist bei ihr üblich.

Da man den puren Augen eines Menschen, wenn sie dicht umgeben von Fliedergatsch sind, keinerlei Emotion ansieht, der dicke Papp auch eine gerunzelte Stirn und gesenkte Mundwinkel nicht zuließ, wirkte die Frau einigermaßen friedlich. Aber nur, bis sie anklagend eine Pfote in Richtung meines Buches streckte und keifte: »Wir Frauen können den Wagen ausräumen und der Herr liest Nietzsche! Ganz typisch, dass dir der Wahnsinnige etwas gibt!«

Ich verzichtete darauf, ihr mitzuteilen, dass mir der Wahnsinnige leider gar nichts gegeben hatte, und zeigte ihr bloß den Stinkefinger. Sie griff nach der family-size-

Lavendelseife und warf sie mir an den Kopf. Ich brüllte »Spinnst du, Weib?«, verließ das Badezimmer und zog mich ins WC zurück, entledigte mich dort des Textilen und inspizierte es. Kaum hockte ich nackend auf der Kloschüssel und hatte meine Hose umgedreht, um die Nähte nach den Biestern abzusuchen, wollte meine Tante ins Klohäusel rein. Zuerst ließ ich mich nicht stören, doch die Kuh klopfte alle zehn Sekunden an die Tür und wimmerte drauflos, dass sie »groß« müsse. Würde sie nur »klein« müssen, würde sie ohnehin hinterm Haus hinter einen Busch gehen. Da ich nicht drauf happig war, noch nähere Informationen über der Tante Darmentleerung zu konsumieren, schlüpfte ich wieder in mein erst partiell gesäubertes Zeug und räumte den Lokus.

Meine Reisetasche stand noch bei der Haustür. Ich holte einen Pulli raus, knotete ihn mir um den Bauch und verließ das Haus. Den Nietzsche-Band warf ich im Vorbeigehen, in der Annahme, dass er verrottbar sei, auf den Komposthaufen. Da meine Mutter den Autor für einen Wahnsinnigen hält, sagte ich mir, wird ihr das Büchl ja nicht abgehen und mir garantiert auch nicht!

Meine Absicht war durch Wälder und über Wiesen zu streifen und erst heimzukehren, wenn die drei Damen zu Bett gegangen waren, um mir dann, in der guten Stube, auf der Eckbank, ein Not-Nachtlager zu errichten.

14.

Von den erfolglosen Versuchen mein gestörtes Verhältnis zur
Natur in den Griff zu kriegen sowie von meinem
schwierigen Verhältnis zu Ureinwohnern und Zugezogenen.

Wahrscheinlich hätte auch aus mir ein passabler Natur-
freak werden können, hätte man mich von Baby-Buggy-
Zeiten an öfter ins Grüne und Sprießende verfrachtet.
Hat man aber nicht. Meine Mutter und auch meine
Großmutter schleppten mich vorwiegend in städtische
Bäder mit Whirlpools, durch sauber gestutzte Parks mit
ordentlich angelegten Blumenbeeten, auf Tennisplätze
und sonstige Großstadt-Freizeit-Örtlichkeiten. Und gab
es im Urlaub echte Natur, dann war das jedes Jahr floraf-
reier Sandstrand, zwischen Salzwassergewoge und Dörr-
staudengestrüpp, mit üppigen Grünzeugoasen durch-
setzt, allesamt von unterbezahlten Gärtnern für über-
bezahlende Gäste rund um Super-Fünf-Sterne-Hotels
angelegt, chemisch gedüngt und gespritzt, frei von jedem
Unkräutlein und jedem Ungezieferchen. Oder Winter-
sportorte mit Kunstschnee auf den Pisten, Liegestühlen
auf der Hütten-Terrasse und aus Kunsteisblöcken ge-
schnitzten Bars unter dem Wintersonnenhimmel.

Zu heimatlicher Natur konnte ich also nie ein Nahe-
verhältnis entwickeln und ohne ein solches tut man sich
urschwer sie zu lieben, und liebt man sie nicht, ist einem
ihr Anblick auch kein spezieller Lustgewinn.

Als dann meine Frau Tante das aufgegebene Bauernhaus gekauft und renoviert hatte, versuchte ich redlich das Versäumte nachzuholen. Ich zwang mich regelrecht dazu, mir Natur-pur zu geben, und ich ging dabei eingedenk einer Behauptung unseres im vorvorigen Jahr verbrauchten Religions-Springers vor. Der hatte uns versichert, dass auch jedem gutwilligen Ungläubigen, so er nur lange und intensiv genug beten täte, die Gnade des Glaubens zuteil würde. Was für Gott gilt, schloss ich, sollte auch für die Natur, in welcher ihn doch so viele Menschen walten spüren, ebenfalls gelten.

Jedes Wochenende, wenn mich die Damen ins Bauernhaus gekarrt hatten, erklomm ich ganz allein irgendeinen Mugel mit Ausblick ins weite Land. Ich hockte mich hin und blickte aus, bei Sonnenschein, bei Nieselregen, bei Gewitter, bei Nebelwabbern, bei Windstille, bei Sturm, sogar bei Schneeflockengeriesel. Ich marschierte in den Hochwald rein, ließ mich im Heidelbeer- und Preiselbeerlaub nieder, starrte gen Himmel und observierte das Spiel von Licht und Schatten auf den Blättern der Baumkronen. Ich setzte mich barfuß an munter sprudelnde Bächlein, stellte die nackten Treter ins eisige Wässerchen und grapschte mit den Zehen nach Kieseln. Ich kraxelte auf etliche der reichlich ums Tantenhaus herum liegende Riesen-Hinkelsteine, legte mich bäuchlings auf sie drauf und patschte den sonnenwarmen Granit ab, zwecks Kontaktaufnahme mit Urgestein. Auch die Nase und die Ohren nahm ich in die Pflicht. Wie eine alte Trüffelsau schnüffelte ich den Waldboden ab, schnupperte an harzigen Baumrinden, an Blümlein, Hälmchen und Blättlein, zog raue Morgenluft wie sanfte Mittagsbrise aufmerksam in die Nüstern ein, lauschte dem Grillengezirp, dem Hummelgebrumm, dem Kuckucksruf, dem Geschrei der streunenden Katzen und weiß Pan, welch stimmlichen Viechsdarbietungen noch!

Nach einem Jahr gab ich meine Bemühungen auf. Sie hatten alle nichts gebracht. Um kein bisschen mehr als zuvor gelang es mir, mich an der Natur zu erlaben. Sie war mir keineswegs unangenehm, sie schreckte mich auch nicht, sie war mir einfach ziemlich wurscht.

Dass dem so ist, frustet mich gewaltig. Nicht nur deswegen, weil mir ein Labsal entgeht, das anderen Menschen mühelos zuteil wird, sondern aus der simplen Überlegung, dass ich doch selbst ein Stück Natur bin, wenn auch ein etwas mickrig geratenes. Jedenfalls bin ich kein reines Geistwesen und muss mich als ein Konglomerat aus Natur und Geist verstehen. Und mein Geist existiert ja schließlich auch nicht solo und autark. Ohne dass ich gehört und gelesen hätte, was andere Menschen gedacht haben, wäre ich wohl dämlichdumpf und bierblöd geblieben. Nur die Verbindung zum Geist anderer Menschen bringt meinen Geist weiter. Also müsste analog dazu, was an mir Natur ist, in Verbindung zum Rest der Natur stehen. Wenn ich aber, trotz allem Bemühen, nur wie der Dolm in der Natur herumstehe und nicht das kleinste bisschen Verbundenheit mit ihr in mir spüre, dann stimmt bei mir Grundlegendes nicht, und wenn sich das nicht ändert, wird mein »Sein« nie eine runde Sache werden und ich werde es nie schaffen, »ein Ganzes« zu sein.

Als ich am Samstag ziellos durch Wiesen und Wälder streifte, erging es mir klarerweise auch nicht besser mit der Natur. Sie war da und störte mich nicht, mehr gab sie nicht her.

Allerdings stand ich insoweit mit dem mickrigen Stück Natur, welches ich bin, in Verbindung, als ich rasenden Hunger verspürte, was bei jemandem, der kein Frühstück, kein Schulbrot und kein Mittagessen konsumiert hat, wenig verwunderlich ist.

Ich versuchte mich wieder darmgrippig zu fühlen, weil einem in diesem Zustand nicht nach Futtern zumute ist. Es gelang mir nicht, mein Gedärm wollte nicht harfen, der Magen knurrte weiter. So beschloss ich den Weg ins Dorf runter einzuschlagen und mir dort etwas Essbares zu erwerben. Wobei mir klar war, dass der kleine Adeg-Laden am Samstag zu Mittag schließt und ich mich im Dorfwirtshaus würde versorgen müssen. Normalerweise schrecke ich vor diesem Lokal zurück. Dort hockt nämlich die männliche Ureinwohnerschaft herum, spielt Karten und trinkt Bier und ich weiß nie, wie ich mich zu ihr verhalten soll.

Einmal, als ich mit den drei family-Weibern im Wirtshaus Mittagessen war, weil meine Tante das Fleisch daheim im Kühlschrank vergessen hatte, stellte der dicke Wirt grinsend ein riesiges Stamperl glasklaren Obstschnaps vor mich hin, deutete auf den Nachbartisch, wo ein paar saublöd grinsende Burschen saßen, und sagte erklärend zu mir: »Von den jungen Herren drüben am Tisch, zum Einstand, soll ich ausrichten!«

Meine Mutter zischte mir zu: »Trink das ja nicht, da bist du doch gleich lull und lall!«

Und meine Tante zischte meiner Mutter zu: »Wenn er nicht trinkt, dann beleidigt er sie doch!«

Meine anpassungssüchtige Tante will nämlich immer in die Dorfgemeinschaft »integriert« sein und daher nichts tun, was gegen deren Regeln verstößt. Und da meine Frau Mutter nichts tun will, was gegen die Integrationsabsichten ihrer Schwester verstößt, änderte sie ihre Anweisung um, auf: »Heb das Glas, nicke ihnen zu und nippe ein wenig an dem Zeug!«

Ich hob brav das Glas und setzte es – den grinsenden Dödeln zunickend – an die Lippen. Die Dödel grölten »Ex!«. Sie waren alle sichtlich schon einigermaßen niedergesoffen. Und ich bekam eine Riesenwut darüber, dass mich die Alleinerzieherin zu dieser blödsinnigen Aktion zwingt, und kippte das riesige Quantum Obstschnaps in einem Zug. Worauf die niedergesoffenen Dödel an unseren Tisch kamen, mir anerkennend auf die Schultern klopften und versicherten, dass ich, wider Erwarten, doch einigermaßen o.k. sei.

Nachher bin ich irgendwie noch halbwegs senkrecht bis zum Tantenhaus gekommen, aber dort angelangt, habe ich unter dem Zwetschkenbaum eine eingesprun-

gene Sitzpirouette gedreht und bin, ebendort hinge-
streckt, in Schlaf verfallen. Meine Mutter und meine
Tante hatten mich ins Haus reintragen und ins Bett bringen müssen.

Meine samstägliche Absicht war es auch nicht, mich in
den düsteren, obstschnapsdunstigen Wirtshausbauch
hineinzubegeben. Vor dem Wirtshaus stehen zwei rote
Cocacola-Schirme, einer rechts vom Eingang, einer links
davon. Und unter jedem Schirm ist ein Tisch mit vier
Sesseln. Dort wollte ich mich niederlassen.

Als ich, vom Güterweg her, auf die Dorfstraße einbog,
sah ich, dass unter dem Cocacola-Schirm rechts vom
Eingang zwei Stück Mensch saßen. Aus der Entfernung,
in welcher ich mich befand, konnte ich nur ausnehmen,
dass das eine Stück Mensch einen langen, weiten, grünen
Rock trug und das andere Stück Mensch eine kurze, feuerrote Hose. Da weibliche Ureinwohner das Wirtshaus
wie die Pest meiden, es nicht mal in männlicher Begleitung aufsuchen, zudem kurze, feuerrote Hosen nicht
dem männlichen Ureinwohnergeschmack entsprechen,
nahm ich an, es handle sich bei den beiden um eines der
hierorts manchmal auftauchenden Touristen-Paare, mir
drohe also keine Konfrontation mit dörflicher Bevölke-
rung und so schritt ich wacker weiter.

Näher kommend sah ich, dass das Paar vor dem
Wirtshaus Bruder & Schwester Pribil war. Die Pribils
sind Wiener und besitzen hier, direkt im Ort, auch ein
Bauernhaus, ein gewaltig großes, prächtig renoviertes.

Mit Schindeldach, geschnitzter Toreinfahrt und allerhand Fassaden-Schnickschnack. Meine Frau Tante »verkehrt« aber nicht mit ihnen, steht bloß, wie sie es ausdrückt, auf »distanziertem Grußfuß« mit ihnen. Einzig und allein deswegen, weil mein Ex-Onkel vor vielen, vielen Jahren mit einer Kusine der Frau Pribil eine kleine Liebschaft hatte, eine seiner vielen. Meine schwer paranoide Tante bildet sich nun ein, dass die Pribils von der kurzfristigen Geliebten ihres Ex-Gemahls jedes Detail der Affäre erfahren und nichts Besseres zu tun haben als dauernd darüber zu reden. Dabei möchte ich wetten, dass die Pribils gar keine Ahnung davon haben. Wer soll denn schon freiwillig zugeben, dass er sich mit einem derartigen Kotzbrocken wie meinem Ex-Onkel sexuell eingelassen hat? So einen Irrtum verschweigt doch jede halbwegs normale Frau!

Bruder & Schwester Pribil, die Beine weit von sich gestreckt, hingeflätzt in die weißen Plastiksessel als wären es Liegestühle, beide ein Bierkrügel in der Hand, blickten mir entgegen. Klarerweise wussten sie, wer ich bin, genauso, wie ich wusste, wer sie sind. Aber geredet hatten wir bisher noch nie auch nur ein einziges Wort miteinander, da ich sie stets nur im Beisein meiner Tante gesichtet und mich deren Ignorier-Devise zwangsläufig hatte anschließen müssen. Und die Eva-Maria hatte auch nie Interesse am Anbandeln mit Pribil & Pribil gezeigt. Etliche Kontaktversuche der beiden, wenn wir im Adeg-Laden aufeinander getroffen waren, wurden von ihr im

Keime erstickt. Wohl deswegen, weil Schwester Pribil optisch gewertet eine ausnehmend gut geratene Person ist. Hüfteng, spitzbusig und taillenschmal, hellblond parmaveilchenblauäugig, langwimprig und edelnäsig. Die Eva-Maria schätzt es absolut nicht, in Gesellschaft von Weibspersonen zu sein, denen sie sich aussehensmäßig unterlegen fühlen muss. Mit Bruder Pribil, der seiner Schwester unheimlich ähnlich sieht, hätte sie wohl gern Kontakt gehabt. Das wurde mir voriges Jahr am Kirchtag klar. Da stand er allein bei einem Standl, das Krauthobel und Surbottiche feilbot. Nichts wie hin zu dem Standl wollte die Eva-Maria, obwohl sie doch an Krauthobeln und Surbottichen kein Interesse hat; was ich ihr auch sagte. Aber sie packte mich an der Hand und startete funkelnden Auges los. Wir waren nur noch ein paar Schritte von den Krauthobeln und den Surbottichen entfernt, da kam, von der anderen Seite her, Schwester Pribil auf ihren Bruder zu. Worauf meine Kusine stehen blieb und mit Hängemundwinkeln murmelte: »Kann die Kuh den Kerl keine Minute allein lassen?« Dann drehte sie sich um, schleppte mich retour und sagte: »Hast Recht, der hölzerne Kram ist uninteressant!«

Des gestörten Verhältnisses zu Pribil & Pribil eingedenk überlegte ich auf die Cocacola-Schirme zugehend, ob ich starr geradeaus blickend an ihnen vorbeigehen und das Wirtshaus im zwei Kilometer entfernten Nachbardorf anpeilen sollte. Nicht wegen der Tanten-Paranoia und der partiellen Kusinen-Abneigung, sondern weil mir unklar war, wie ich mich verhalten sollte. »Guten Tag« sagen und kein Wort mehr? Oder tun, als hätte ich sie nicht zwei Jahre lang ignoriert, und drauflos schwatzen? Beides missfiel mir, aber mein Knurrmagen sprach sich gegen weitere zwei Kilometer Aufschub der Nahrungsaufnahme aus. So strebte ich dem Tisch links vom Eingang zu, sagte so neutral wie möglich in Richtung rechter Tisch »Servus« und ließ mich ins weiße Plastik fallen.

Pribil & Pribil hoben die Bierkrügel, sagten grinsend »Guten Samstag«, prosteten mir zu und verleibten sich den Rest aus den Gläsern ein, wobei sie mich – über den Krügelrand drüber – interessiert musterten. Ich rutschte ebenfalls in Liegestuhlhaltung und blickte konzentriert himmelwärts, also ins Gestänge des Cocacola-Schirms.

»Musst reingehen zum Bestellen«, sagte Schwester Pribil, »von selber kommt da keiner!«

»Und wennst schon drin bist«, sagte Bruder Pribil, »bestell noch zwei Bier für uns.«

Ich rappelte mich hoch und trabte ins Wirtshaus rein.

15.

Über mangelnde Durchsetzungskraft meinerseits sowie einen trivialen, aber zielführenden Gedankenblitz; unter Aussparung jeglicher philosophischer Randbemerkungen.

Die Gaststube war reichlich besetzt und es stank erbärmlich in ihr. Die meisten Bauern hierorts geben ihren Kühen Silofutter. Dieses Zeug stinkt penetrant. Wie gärende, gezuckerte Scheiße. Wer täglich zweimal damit hantiert, an dem bleibt der eklige Geruch kleben, eine wandelnde Stinkbombe wird der dann. Und wenn zwanzig dieser Stinkbomben in einer kleinen Wirtsstube zusammensitzen, ergibt das direkt narkotisierende Stinkkraft.

Um Atem ringend musste ich geschlagene fünf Minuten geduldig bei der Budel ausharren, bis sich der Wirt, der mit drei alten Bauern bei einem Tisch saß und tarockierte, endlich bequemte die Spielkarten hinzulegen, aufzustehen und seufzend zu mir zu watscheln.

Neben den Bier süffelnden Pribils Mineralwasser zu trinken, erschien mir unpassend, also bestellte ich drei Bier und fragte an, was es zu essen gebe.

»Die Küche macht erst in zwei Stunden auf«, sagte der Wirt.

Ich sagte ihm, dass mir auch Wurstbrote reichen würden oder Käsebrote oder blanke Butterbrote. Oder ein Stück Torte.

Er sagte: »Die Frau ist gar net da!«

Ihn aufzufordern, er möge sich selbst ans Brotschneiden machen, wagte ich nicht. Der Kerl öffnete drei Bierflaschen, stellte sie auf ein Tablett, stülpte über jeden Flaschenhals ein Glas und watschelte zu seinen Spielkarten zurück.

Ich schnappte mir von einem unbesetzten Tisch das Brotkörberl mit zwei Weckerln und einer toten Fliege darin, stellte es zu den Bierflaschen, verließ klingelnd – weil die Gläser auf den Flaschenhälsen musizierten – die ungastliche Gaststätte und servierte Pribil & Pribil das Bestellte.

»Wennst kein Eremit bist, dann hock dich zu uns«, sagte Bruder Pribil und Schwester Pribil rückte einladend einen der freien Plastiksessel vom Tisch weg.

Ich ließ mich zwischen Pribil & Pribil nieder und machte mich über eines der zähen Weckerln her. Das Tempo, in dem ich es tat, ließ Schwester Pribil ausrufen: »Bist am Verhungern?«

Ich nickte und mampfte weiter.

»Kein Geld für was Gescheiteres?«, fragte Bruder Pribil.

Mit vollem Munde informierte ich ihn über des Wirtes Unwilligkeit mir zu Diensten zu sein.

»Das haben wir gleich!« Schwester Pribil stand auf und marschierte ins Wirthaus rein. Bruder Pribil blickte ihr nach und sprach erklärend: »Der alte Bock steht total auf sie, wenn sie ihm's anschafft, paniert er auch Schnitzel.«

In der Hoffnung auf etwas Besseres legte ich den Rest vom zähen Weckerl ins Körberl zurück und entfernte dafür die tote Fliege aus diesem. Bruder Pribil griff nach einer Bierflasche und verteilte den Inhalt auf die drei Gläser, dann nahm er einen kräftigen Schluck von seinem Glas, wischte sich den Schaumschnurrbart von der Oberlippe, grinste mir zu und sagte: »Wir haben schon geglaubt, du und der kleine Mops, ihr haltet uns für Untouchables.«

Vor zwei Wochen wäre ich noch jedem, der es gewagt hätte, meine Kusine Mops zu nennen, – wie man so sagt – mit dem Arsch ins Gesicht gefahren. Nun tat mir der Mops echt wohl. Ich lächelte Bruder Pribil zu, zuckte mit den Schultern und heuchelte: »Keine Ahnung, wieso sich da nie etwas ergeben hat!«

»Kannst Tennis spielen?«, fragte Bruder Pribil.

»Es geht«, antwortete ich bescheiden, meine diesbezüglichen Fähigkeiten arg untertreibend. Ich spiele nämlich recht ordentlich. Schließlich ist die Alleinerzieherin Mitglied des vornehmsten Tennisklubs der Stadt. Seit sie so gern ins Bauernhaus fährt und die Liebe zum Landleben pflegt, hat ihre Liebe zum Bällchenschupfen zwar sehr nachgelassen, aber vorher betrieb sie es fanatisch und das »gesellschaftliche Klubleben« ebenfalls. Auch viele ihrer Kurzzeitbeziehungen waren Single-Klubmitglieder, möglicherweise nicht nur Singles; aber falls sie auch verheiratete Klubber nicht verschmähte, hat sie das vor mir geheim gehalten. Jedenfalls verbrachte ich viele

Stunden meiner Kindheit auf dem Tennisplatz und bekam, sobald ich es überhaupt halten konnte, ein Racket in die rechte Patschpfote gedrückt. Was humorige Klubmitglieder gern mit »Da hüpft ein Schläger mit einem Knirps herum« kommentierten und mir eine chronische Sehnenscheidenentzündung im rechten Kindsärmchen eintrug. Aber ich spielte trotzdem gern, weil ich es erstaunlich gut hinkriegte und mir das allseits großes Lob eintrug. Es befriedigt schließlich, nicht nur geistige, sondern auch körperliche Wendigkeit attestiert zu bekommen. Als dann der Alleinerzieherin Tennislust dahinschmolz und ich daher nicht mehr mit ihr zum Tennisplatz fahren konnte, versiegte auch mein Tenniselan. Mit der Bim hin, mit der Bim zurück und vielleicht noch das Klub-Cola vom eigenen Taschengeld kaufen, fand ich zu viel der Belästigung, bloß für den Lohn, Lob und Anerkennung der Klub-Wappler einzuheimsen.

Doch nun Lob und Anerkennung von Pribil & Pribil einzuheimsen, fand ich, wäre ein Erlebnis, für das es sich lohnt, eingemotteten Sportsgeist wieder zu beleben.

»Wie wär's morgen? Von zehn bis zwölf haben wir den Platz!« Bruder Pribil deutete in Richtung Dorfkirchturm. Hinter der Kirche ist der Friedhof und hinter dem Friedhof der Tennisplatz. Den hat der Wirt, in der irrigen Hoffnung damit Feriengäste anzulocken, letzten Sommer machen lassen.

»Sorry, ich hab keinen Schläger mit«, sagte ich.

»Haben wir zum Saufüttern«, sagte Bruder Pribil.

»Komm vorher zu uns, such dir einen aus. Weißt eh, wo unser Haus ist.«

»Was soll er sich aussuchen?« Schwester Pribil, eine megaüppige Brettljause vor sich her tragend, kam zum Tisch.

»Ich hab ihn mir als Tennispartner aufgezwickt!« Bruder Pribil knallte mir seine Rechte auf die Schulter. »Damit ich nicht dauernd mit dir Unmurken spielen muss.«

Schwester Pribil stellte die Brettljause vor mich hin. »Reicht's?«, fragte sie. Essbesteck hatte sie keines mitgebracht, also griff ich mit den Fingern ins Geselchte, Speckige, Wurstige und Gebratene und rief: »Besten Dank, edle Dame!«

Schwester Pribil wollte sich gerade neben mir niederlassen, da kam ein großer, schwarzer Mercedes, neuestes Modell, langsam die Straße heruntergerollt.

»Unsere Alte«, seufzte Bruder Pribil.

Der Mercedes rollte bis vor unseren Tisch und hielt an. Hinter dem Lenkrad thronte Mama Pribil, die Haarpracht platinblond hochgetürmt, bronzehäutig wie eine Sioux-Squaw, die Lippen heidelbeerjogurtlila, die Blauaugen schwarz umrändert, über den oberen Rändern froschgrüne Lidschatten, mit silbernen Mini-Sternchen im Froschigen. Ein echtes Wahnsinnsweib, so aus der Nähe betrachtet! Aber dass sie früher einmal sehr schön und Pribil & Pribil sehr ähnlich gewesen sein musste, war trotzdem noch zu sehen.

Sie beugte sich zum offenen Seitenfenster raus, wobei

ihr die Brüste fast aus dem Dirndlkleide rutschten, und jammerte: »Jetzt bin ich aber ernsthaft bös auf euch, Kinderchen! Ihr sitzt da herum und trinkt Bierchen, wo ihr doch wisst, dass ihr mit mir zum Omilein fahren sollt. Muss ich euch jedes Mal einfangen wie die streunenden Hündchen?«

Bruder Pribil nahm noch einen großen Schluck vom Bier und erhob sich. »Die Uralte ist nämlich im Spital und wird nimmer«, sagte er zu mir. »Und wenn wir sie nicht besuchen, erben wir nichts! Sagt wenigstens die Alte.« Dann stieg er ins Auto ein. »Bis morgen um zehn dann«, sagte Schwester Pribil, bediente sich auch noch einmal vom Biere und folgte ihrem Bruder ins Gefährt. Bevor sie die Wagentür zuschlug, rief sie mir zu: »Übrigens, zahlen brauchst du nichts mehr, hab alles auf unser Konto schreiben lassen!«

Der Mercedes rollte langsam vom Wirtshaus weg, ich schaute ihm versonnen nach, bis er die Kurve hinter der Raiffeisenbank genommen hatte und entschwunden war, stopfte ein dickes Radl Extrawurst in den Mund und einen Brocken vom zähen Weckerl hinterher und während ich kaute, durchzuckte mich – wie ein supernavaheller Blitz – ein wahrlich grandioser Gedanke.

Es war dieser: Pribil & Pribil sehen einander sehr, sehr ähnlich. Obwohl Bruder Pribil ungefähr um ein Jahr jünger sein muss als Schwester Pribil, haben sie sogar exakt die gleiche Körperlänge und Körperbreite. Beinahe wie Zwillinge sind sie. Und in ihren Psychen dürften sie auch nicht unähnlich sein. Da habe ich also nun zwei Personen, die, abgesehen vom Geschlecht, einander gleichen. Und dieses ist eine wahre Gottesgabe für ein armes Schwein, das endlich rauskriegen will, ob es nun homo oder hetero ist. Es bedarf also bloß intensiven, weiteren Kontaktes mit den beiden und dann wird sich schon, wie von selbst, erweisen, in wen ich mich verliebe! Und verliebe ich mich gleichzeitig in beide, bin ich eben bi!

Frohgemut verputzte ich die gesamte Brettljause, auch die fetten Brocken, die ich sonst verschmähe, trank nicht nur mein Bierchen aus, sondern süffelte auch noch weg, was in den Flaschen von Pribil & Pribil geblieben war, und wanderte dann, wohl etwas beschwipst, durchs Dorf und über den Güterweg dem Tantenhaus zu. Den Vorsatz, bis in die späten Abendstunden, bis meine Weiber im Bett liegen, weiter in der Gegend rumzulatschen, hatte ich aufgegeben. Dazu fühlte ich mich einfach zu müde und zu vollbäuchig.

Vor mich hin trottend fiel mir ein, dass ich nicht mal die Vornamen der Pribils kannte. Und die zwei möglicherweise auch nicht den meinen. Aber erstens würde ich die Namen morgen garantiert rauskriegen und zweitens kann man sich auch in namenlose Menschen verlieben.

Als ich beim Tanten-Anwesen ankam, war keine Frauenseele zu sichten. Aber das Auto stand vor dem Haus. Also konnten meine drei Lemuren nicht weit sein. War mir aber scheißegal, wo sie sich gerade herumtrieben. Ich setzte mich auf mein Bankerl unter dem Zwetschkenbaum, verschränkte die Arme über der Brust und erfreute mich an dem absolut nicht unangenehmen Spannungsgefühl, das sich in mir, vom Haaransatz bis zu den Nägeln der großen Zehen, lang und breit gemacht hatte. Mehrmals sagte ich leise, aber sehr bestimmt vor mich hin: »Ich werde mich verlieben!«

16.

Nächtliche wirre Gedanken über Urfeuer und blaues Geflacker, von Marderscheiße umzingelt gefasst, hierauf ins Keybord getippt, auf taunassem Bankerl.

Es ist Sonntag, 6 Uhr 10 des Morgens und ich sitze bereits wieder unter dem Zwetschkenbaum. Nun mit dem MacIntosh auf den Knien und keineswegs mehr wohlig gespannt von den Stirnlocken bis zu den großen Zehen. Das Bankerl ist klatschnass vom Morgentau, den die Sonne noch nicht auftrocknen konnte. Kommt aber schon nimmer drauf an, nach der Horrornacht, die ich hinter mir habe.

Gestern, nachdem ich meine Bankerlsitzung abgebrochen hatte und ins Haus reinkam, waren meine Mutter, meine Tante und meine Kusine in der Küche. Emsig kochend. Ich setzte mich in die gute Stube. Doch lange hatte ich die nicht für mich allein, es kam Besuch angefahren. Der Aussteiger Chemiker-Schafzüchter aus dem Nachbardorf, samt seiner angetrauten Aussteigerin-Chefsekretärin-Töpferin. Und meine drei Lemuren tischten ihnen, weil die Aussteiger-Wappler vegetarisch futtern, Vollkornmakkaroni mit Tofu-Leibchen in Minzesoße auf.

Ich entzog mich dem Graus-Mahl, das hätte ich auch nicht runtergebracht, wenn ich hungrig gewesen wäre, und wechselte in die Küche über. Dort blieb ich, bis meine drei Weiber, samt Besuch, reinkamen um gemeinsam den Abwasch zu machen. Dann wechselte ich wieder in die Stube über, bis mir die Fünfer-Riege nach getanem Küchenwerk, mit Gläsern, Weinflaschen und Mineralwasserflaschen schnatternd eintretend, den Alleinanspruch auf den Raum streitig machte. Nochmals in die Küche zu flüchten erschien mir denn doch zu blöde. Ich beschloss schlafen zu gehen. Meine Absicht in der Stube zu nächtigen konnte ich mir sowieso abschminken. Das Aussteiger-Paar ist sesshaft. Sitzen die zwei Alternativ-Knülche einmal, stehen sie so schnell nicht wieder auf, und bis lange nach Mitternacht in der Küche auf ihren Abmarsch zu warten fand ich genauso unzumutbar, wie mich neben meiner Kusine zur Ruhe zu betten ohne vorher mit ihr eine »Grundsatzdebatte« geführt zu haben. Und dass die heute noch zu schaffen wäre, nahm ich nicht an. Ich beschloss mir auf dem Dachboden oben, auf den dort deponierten Uralt-Matratzen, ein Lager zu richten.

Treppe zum Dachboden rauf gibt es im Bauernhaus keine. Im Vorhaus ist in die Holzbalkendecke bloß eine quadratische Luke, etwa ein mal ein Meter, eingeschnitten. Und an einer Wand im Vorhaus lehnt eine lange Leiter, mit deren Hilfe man bei Bedarf durch die Luke in den Dachboden raufklettern kann.

Ich ging also in die Schlafkammer, nahm Decke und Kissen von meinem Bett, zog das Leintuch von der Matratze und begab mich mit dem Bettzeugberg ins Vorhaus. Gerade als ich die Leiter an die Luke gelegt hatte und mir überlegte, wie mit der üppigen Bettware am elegantesten hochzuklimmen sei, kam die Alleinerzieherin mit Wein-Nachschub aus dem Keller heraufgekeucht.

»Bist du des Teufels, Sohn?«, fragte sie, mein Vorhaben richtig erkennend.

»Mir ist danach«, antwortete ich, knüpfte das Leintuch zu einem Wandersmannbinkerl über Decke und Kissen, hängte mir den wie einen Rucksack über die Schultern, nahm die große Taschenlampe vom Wandhaken, steckte sie mir in den Hosenbund und erklomm die ersten Leitersprossen.

»Dass ich dir Blödmann ein Stück Seife in berechtigtem Zorn an den Kopf geworfen habe, ist doch kein Grund da oben zu nächtigen!«, rief meine Mutter. »Du hast mir schließlich vorher den Stinkefinger gezeigt!«

Ich stieg zwei Sprossen höher und sagte: »Du musst wirklich nicht immer alles auf dich beziehen!«

»Warum tust du es denn dann, um Himmels willen?«

Sie stellte ihre zwei Weinflaschen auf der alten Truhe ab, kam zur Leiter her und grapschte nach einem Holm.

Ich will ihr nicht unterstellen, dass sie absichtlich an der Leiter rüttelte um sie ins Wanken zu bringen, aber jedenfalls war dies das Ergebnis ihres Zupackens. Das obere Leiterende schwankte von der Lukenseite, an welcher es geruht hatte, auf die gegenüberliegende, und ich – den Kopf bereits knapp an der Luke – schwankte mit. Klarerweise erregte mich das und ich brüllte runter: »Blöde Kuh, lass das!«

Anstatt der Leiter wenigstens einen Retourschubs zu geben nahm sie die Pfoten vom Holm, wodurch ich, total hilflos, in Schräglage nach hinten hing. Ich stemmte mein ganzes Gewicht gegen die Leiter, um sie wieder in die Ausgangsposition zu drücken, doch dazu reichten meine Kräfte nicht. Also blieb mir nichts anderes übrig als loszulassen.

Da eine Bauernhausdecke nicht allzu hoch oben ist, fiel ich nicht weit, landete ärschlings zudem im mit Daunen gefüllten Binkerl. Die Alleinerzieherin fand das sehr amüsant und meckerte wie eine alte Geiß drauflos. Ich zischte ihr nochmals »Blöde Kuh« zu, schulterte wieder die Bettware und kletterte zornrot die Leiter – nun von der anderen Seite her – hoch, wobei die Alleinerzieherin nicht mehr handgreiflich wurde, sondern bloß das Gemecker einstellte und »Gewöhn dir bitte diesen Ton zu mir ab!« keifte.

Bereits als ich den Oberkörper über der Luke drüberhatte, war mir klar: Das ist kein Schlafort für ein sensibles Kerlchen! Der Sonnentag hatte den Dachboden enorm aufgeheizt, es stank sonderbar nach Staub und Ammoniak und Verfaultem, zudem türmte sich vor mir viel mehr Gerümpel, als ich in Erinnerung gehabt hatte. Es verstellte mir den Einstieg komplett. Und in dem bisschen Licht, das durch die Luke vom Vorhaus raufkam, war zwischen all dem aufgetürmten Kram kein freier Platz zur Errichtung eines Nachtlagers zu sichten. Aber jetzt den Rückzug antreten war völlig unmöglich! Zu einer hämisch grinsenden Alleinerzieherin wieder runterzusteigen wäre allzu demütigend gewesen. Also stieß ich wacker mit den Fäusten ausreichend Platz zum Einstieg frei, wobei ich so viel Staub aufwirbelte, dass ich nur mühsam einen Niesanfall unterdrücken konnte. Dann holte ich die Bettware vom Rücken, schubste sie in den Dachboden rein und zog meine hintere Leibeshälfte nach.

Ich hockte reglos und – von wegen Staub und vermischtem Mief – um Atem ringend, am Lukenrand, bis sich die Schritte der Alleinerzieherin Richtung Stube entfernt hatten und die Stubentür hinter ihr ins Schloss gefallen war. Dann knipste ich die Taschenlampe an und ließ den Lichtkegel kreisen.

Meine geizige Tante hatte sichtlich, um sich den Abtransport zur Müllhalde zu sparen, all den Uralthaushalt vom Vorbesitzer auf den Dachboden schaffen lassen. Zwischen den einzelnen Gebirgen aus Gramuri waren nur schmale Gänge frei, auf denen lagen gar nicht so kleine Häufchen, Zimtschnecken nicht unähnlich. Das war eindeutig Marderscheiße. Der Oberförster, einmal zu Besuch, hatte vor dem Haus eine derartige Zimtschnecke gesehen und sie uns als Beweis für die Anwesenheit eines Marders rund ums Gehöft erklärt.

Ich zwängte mich durch die engen Gänge, über die Scheiße drüber, zu einem Matratzenberg. Neben dem standen eine uralte Kindswiege und zwei bäuerliche, wurmstichige Nachtkasteln. Die Wiege hievte ich auf einen Bretterstapel rauf, mit den Nachtkasteln erhöhte ich ein Gebirge aus alten Kommodenladen. Nun hatte ich genug Platz um zwei Matratzen nebeneinander aufzulegen.

Als ich die erste Matratze runterzerrte, sprangen quiekend etliche Mäuschen davon, als ich die zweite runterholte, flüchtete nur noch eine Nachzügler-Maus. Ich legte Leintuch und Kissen auf die Matratze, wickelte die Decke wie eine enge Wursthaut um mich, damit mir kein neugieriges Mäuschen an der Haut nage, und ließ mich auf die Matratze niederplumpsen.

Müde war ich, hundsmüde sogar, aber mit der Nase auf einer Ebene mit Marderscheiße ist nicht leicht einschlafen. Dazu machte mich der aufgewirbelte Staub husten, als hätte mich die TBC blitzartig überfallen. Und der Hustenreiz wiederum verstärkte den Brechreiz, den mir die Zimtschnecken verursachten.

Ich versuchte meinen abscheulichen körperlichen Zustand durch schöne Gedanken wettzumachen. Nimm es nicht tragisch, sagte ich mir, denke intensiv daran, dass du dich demnächst verlieben wirst, freu dich auf die Liebe, das hilft gegen Gestank und Dreck!

Aber ich bin eben nun mal kein Positiv-Denker, Liebe, Liebe, Liebe, rotierte es in meinem müden Hirn und dahinter – wie ein Kometschweif – die Frage: Was ist denn Liebe überhaupt? Mir fiel ein, dass ich irgendwo einmal gelesen hatte, die Sexualität sei das Urfeuer und aus dem lodere die rote Flamme der Erotik hoch und die wiederum nähre eine weitere Flamme, blau und flackernd, die Liebe!

Ich bemühte mich redlich dieses Bild wunderschön zu finden, imaginierte mir den ganzen Globus als Kugelgrill, gefüllt mit glosender Urfeuer-Holzkohle, aus dessen Rundum-Grillrost Milliarden roter Flammen lodern, von blauem Heiligenschein-Geflacker umgeben. Ich konnte trotzdem nicht umhin mich zu fragen, warum ich mich eigentlich dem Blauen und Flackernden ausliefern will, wenn mein Problem doch das Urfeuer betrifft.

Natürlich gab ich mir die nahe liegende Realo-Antwort: Weil im Herrenhäusel kein Urfeuer geglost hat und in meinem Bett, als die Eva-Maria unter die Decke schlüpfte, auch nicht. Und weil ich nicht weiß, wie sonst ans Urfeuer zu kommen wäre! Und weil es einem zivilisierten Menschen wohl eher entspricht, vom blauen Geflacker, über die rote Flamme, zum Urfeuer vorzupreschen.

Das beruhigte mich so weit und der aufgewirbelte Staub legte sich auch so weit, dass ich in Halbschlaf verfallen konnte. Aus dem wurde ich allerdings mit hässlicher Regelmäßigkeit gerissen. Einmal, weil eines der Nachtkasteln scheppernd vom Kommodenladenhaufen runterrutschte, ich hatte es dort wohl im labilen Gleichgewicht deponiert. Einmal, weil sich unten im Vorhaus das Aussteiger-Paar so wortreich wie laut und beschwipst von den zwei Alt-Lemuren verabschiedete.

Einmal, weil der vom nächtlichen Raubzug heimgekehrte Marder entsetzt über meine Anwesenheit in Panik geriet und durch Gerümpel flüchtend ein Heidenspektakel machte. Und im Morgengrauen dann schreckte ich durch ein Kribbeln auf dem Nasenrücken hoch. Eine urfette Spinne, so groß, dass ich sie gut sehen konnte, obwohl meine Nase doch winzig ist, hockte auf meiner Nasenspitze. Ich killte das Biest, wodurch ich eine gelbgrauvergatschte Handfläche bekam und eine ebensofarbene Nase. Und als ich dann noch im Dämmerlichte sehen musste, dass das Leintuch mit Mäusekot so üppig gesprenkelt war wie ein Schweinsbraten mit Kümmelkörnern, dass mir also die unverschämten Viecher reichlich Besuch abgestattet hatten, reichte es mir!

Ich stieg die Leiter runter, holte mir aus der Reisetasche, die noch immer im Vorhaus stand, neue Klamotten und den MacIntosh, duschte mir im Bad den Dachdreck und das Spinnenzeug weg, frühstückte kärglich in der Küche kalte Milch und trockenes Toastbrot und flüchtete dann aufs Bankerl um einer möglicherweise ebenfalls früh aufstehenden Kusine nicht zu begegnen. Denn deren Frage »Warum hast du nicht in deinem Bett geschlafen?« zu beantworten, fühlte ich mich nicht gewachsen.

Das PowerBook habe ich mir deshalb mitgenommen, weil ich schreibend meistens klarer denken kann, als bloß vor mich hinsinnend. Und das vage Zeug, das ich mir vergangene Nacht zur Liebe überlegt habe, bedarf wohl sehr der Korrektur. Aber leider komme ich auch schreibend nicht weiter. Satzerl hingetippt, Satzerl gelöscht, Satzerl hingetippt, Satzerl gelöscht …

Mein Verstand ist heute eine Bigband ohne Bandleader, die improvisiert vor sich hin, kann sich auf kein Musikstück einigen. Im Augenblick geigt gerade einer meiner Hirnmusiker: »Der Liebe Rätsel birgt die Seele, jedoch der Körper ist ihr Buch!«

Sind die letzten Zeilen von einem Gedicht. Keine Ahnung mehr, wer es geschrieben hat, keine Ahnung mehr, wie es weitergeht, ist irgendwann einmal in meinem Hirn hängen geblieben. Klingt ja auch schön, ist aber eigentlich bloß ein Holler, heißt ja auch nur, dass der Autor von »Liebe« im Buch *Körper* allerhand Wichtiges verschwiegen hat. Oder kapiere ich es nicht richtig?

Scheiß mit Reis, ich mag jetzt nimmer rumdenkeln! Ich gehe mir eine Schere holen und schneide mir die schwarze Armani-Jeans in Kniehöhe ab. Langbehost Tennis spielen wäre nicht optimal. Andere Socken brauche ich auch. Die, die ich mir angezogen habe, sind so scheußlich gemustert, dass man sie unter langen Hosenbeinen verstecken muss. Den Blicken von Pribil & Pribil setze ich sie nicht aus!

17.

*Über meine Verwirrung Familie Pribil betreffend,
den äußerst kargen Erfolg meiner Absicht vom Feuerblitz
getroffen zu werden und andere Ratlosigkeiten
in Sachen Liebe.*

Ich habe in der Alleinerzieherin dreiundreißigbändigem Grimm-Wörterbuch nachgeschlagen, wie die Rotkäppchen-Brüder »sich verlieben« definieren. Sie legen es als »sich zu einem Liebenden machen« aus. So sah ich es eigentlich auch, als ich vor einer Woche beschloss mich in einen der zwei Pribils zu verlieben. Aber bisher gelang es mir absolut nicht, mich auch nur ein bisschen zu einem Liebenden zu machen. Möglicherweise ist nämlich sich verlieben doch eher ein passiver, denn ein aktiver Vorgang und man »macht sich nicht«, sondern man »wird gemacht«.

Geben die Grimm-Brüder eine Wörterbuchspalte später ohnehin selbst zu, wenn sie Heinrich Heine zitieren, der den Vorgang des Verliebens – von mir kurzgefasst und unpoetisch wiedergegeben – so beschrieben hat: Person 1 schießt aus ihren Augen einen Feuerblitz auf Person 2 ab, der landet mitten im Herzen von Person 2 und die ist dann in Person 1 heillos verliebt.

Wenn kein Feuerblitz abgeschossen wird, kann auch kein Herz getroffen werden und Pribil & Pribil feuerblitzen leider absolut nicht. Sie sind ein überaus hübsches, freundliches, zutrauliches, träges Geschwisterpärchen ohne Arg und Hinterlist, kaum beladen von schwerer Gedankenlast, zudem frei von Sorgen, Gram und Kummer. Sie sind auch insofern sehr angenehme Freizeitgenossen für mich, als sie von meiner Körperkürze überhaupt nicht irritiert sind. Woher dieses außergewöhnliche Verhalten kommt, wurde mir gleich am Sonntag klar, als ich am Vormittag ins Pribil-Landhaus kam um mir aus dem reichlichen Vorrat einen Tennisschläger rauszusuchen: Vater Pribil ist ein winziger Glatzkopf, er reicht seiner platin-blonden Sioux-Squaw gerade bis zur heidelbeerjogurtfarbenen Unterlippe. Wer von einem Mini-Vater und einer Maxi-Mutter großgezogen wird, der entwickelt da keine bornierten Vorurteile.

Da muss schon eher ich aufpassen, dass ich pribilmäßig in mir keine snobistischen Vorurteile aufkommen lasse. Das ländliche Pribil-Anwesen ist nämlich ein katastrophales Bauernkitsch-Museum, in dem garantiert eine Tonne Schmiedeeisen zu Lüstern, Türklinken, Fensterkäfigen, Laternen, Stehlampen, Trennwänden, und weiß der wahnsinnige Raumausstatter was noch, verarbeitet wurde. Die Jahresproduktion einer ganzen miserablen Sandler-Hinterglasmaler-Sippe hängt an den Rauputzwänden rum. Alte Schubkarren, Hackstöcke, Kindswiegen und Waschbottiche dienen als Seidenblumenständer, ein Butterfass spielt Schirmständer, hölzerne Wagenräder mit dicken Glasplatten drauf sind Beistelltische, und wo an den Wänden zwischen den Hinterglas-Zumutungen noch Platz frei ist, baumeln alte Sicheln, Dreschflegel, Brotschieber, Preiselbeerre-chen und sonstiges hölzernes Arbeitsgerät vergangener Epochen herum. Zwei alte, wahrscheinlich vorher sehr schöne Bauernschränke, hat die Squaw herself restauriert. Mit Acryllack-Blumen in Sauren-Drops-Farben und so viel handwerklichem Geschick, dass es einem die Magenschleimhaut entzündet.

Sehr erstaunlich ist auch der Umgangston im Hause Pribil. Sie zwitschert gummibärlisüß drauflos und bringt alles, was immer nur möglich, mit -chen und -erl und -le in die Verkleinerungsform.

Er brummt umständlich gedrechselte Satzmonster, Marke Behörden-Formular, raus. Der Nachwuchs liebt es cool-karg, macht eigentlich nur, wenn es unbedingt erforderlich ist, das Maul auf, und was dann rauskommt, ist ungefähr so interessant anzuhören wie eine Waschmaschine im Schongang. Die Alten akzeptieren, dass die Jungen Bierchen trinken und heftig qualmen, fragen höchstens freundlich nach, ob im Zigaretterl nicht vielleicht doch Haschisch drinnen sei, das würden sie nämlich nicht sehr mögen.

Es erregt sie auch nicht, dass ihr Sohn und ihre Tochter höchstwahrscheinlich im kommenden Zeugnis zwei beziehungsweise drei Nichtgenügend haben werden und die Klasse wiederholen müssen. Schwester Pribil geht in die dritte Klasse, Bruder Pribil ebenfalls.

Ich habe aus Taktgründen noch nicht nachgefragt, aber da Schwester Pribil genauso alt wie ich ist und Bruder Pribil um ein Jahr jünger als ich, muss sie bereits zweimal sitzen geblieben sein und er einmal. Und sollten sie tatsächlich Ende dieses Monats wieder Pinsch-Zertifikate fürs abgeschlossene Schuljahr überreicht bekommen, dann hätte Schwester Pribil in ihrem jungen Leben das Sitzenbleiben schon dreimal geschafft – was wohl eine rare Leistung wäre!

Aber die Eltern Pribil vollbringen ja auch eine rare Leistung, was das verständnisvolle und gelassene Hinnehmen ihrer schulischen Nieten betrifft!

Da sagt sie: »Unsere Kinderchen sind doch hundsarme Würmchen! Ist schließlich ein grauslicher Frust für sie, dauernd nur so miese Noterln verpasst zu kriegen und nie ein bisserle ein kleines Loberl!«

Sagt er: »Deucht mir wahrlich, dass heutiges Lehrpersonal nicht fähig ist die ihnen Anvertrauten begierig auf Wissensstoff zu machen, dürfte an der mangelnden Didaktikausbildung liegen.«

Sagt sie: »Aber nächstes Jährchen sind unsere Kinderchen ein Jährchen älter, da werden ihre Kopferln schon ein bisserle reifer sein!«

Sagt er: »Darauf Hoffnung zu hegen hieße übermäßiges Vertrauen in einen zwangsläufig naturgegebenen Zuwachs an Bildungswillen zu setzen.«

Sagt sie: »Unsere Kinderchen brauchen nur ein bisserle mehr Sitzfleischerl zum Lernen, das wächst ihnen schon noch auf die Popscherln drauf, da musst nur ein bisserle Gedulderl haben!«

Und die Kinderchen, übrigens heißen sie Mercedes-Miriam und Maxim-Marcel, hören sich das milde grinsend an, wo doch jeder normale Nachwuchs über derartiges Altengequatsche ausflippen und täglich zehnmal einen Anfall kriegen müsste. Ich jedenfalls würde das keinen Tag durchstehen. Zumindest das Gummibärligerede der Sioux-Squaw nicht. Wie der kleine Glatzkopf redet, hat ja immerhin gewisse Reize. Aber vielleicht bin ich da nicht ganz objektiv, denn der Mann hat mich lieb. Er steht total auf mich! Gleich beim ersten Treffen hat er mich urspontan tief ins Herz geschlossen. Ich wäre exakt der Nachwuchs, hat er mir anvertraut, den er sich immer gewünscht und im Grunde auch erwartet habe. Und er hofft, dass ich auf seine zwei Sprösslinge einen guten Einfluss ausüben werde. Hätte nicht viel gefehlt und er hätte mir vorgestern sogar einen Stundenlohn dafür angeboten, dass ich seine Kinder lehre ihr Gehirn öfter zu aktivieren und in Trab zu halten. Wieso er annimmt, gerade ich sei der Richtige für diese Hirn-Nachhilfe, ist mir schleierhaft. Er hat mir bloß starr in die Augen geblickt und gesagt, ich könnte für seine Mercedes-Miriam und seinen Maxim-Marcel Vorbildcharakter haben. Und ich erinnere ihn an ihn selbst in seinen jungen Jahren.

Prost Mahlzeit, wenn das heißen soll, dass aus mir dereinst ein Alt-Pribil werden könnte, sollte ich mich hurtig der totalen Wesensveränderung unterziehen. Wie gesagt, der Mann ist so übel nicht, aber als Zukunftsaussicht für mich doch eine Trostlosigkeit. Nicht nur weil er ausschaut wie ein dicker Daumen mit Schnauzbart und ich mich nicht zu einem solchen entwickeln will! Der Mann nährt sich gemütsmäßig ausschließlich von Vorvorgestrigem! Komme ich bei den Pribils zur Tür rein – ihre Stadtwohnung ist übrigens jugendstylig durchkomponiert, ohne Abartigkeiten – stürzt er sich hurtig auf mich und drückt mir ein Gespräch aufs Auge. Und alles, was er mir erzählt, handelt von ihm und fängt mit »früher« an. Früher hat er viel gelesen, früher hat er sich tiefe Gedanken gemacht, wie die Welt zu verändern sei, früher hat er sich politisch links engagiert, früher hat er große Ideen und Ideale gehabt, früher wollte er sogar als Entwicklungshelfer nach Südamerika gehen, früher war er auch eine Zeit lang religiös!

Würden Pribil & Pribil nicht jedes Mal ihren Herrn Papa gewaltsam von mir wegzerren, der Mann würde mir bis Mitternacht was von »früher« referieren. Jetzt macht er anscheinend nur noch Geld. Und das sichtlich ohne viel Mühe und Zeitaufwand. Sonst könnte er doch am Nachmittag nicht daheim herumhocken.

Hin und wieder höre ich von Pribil & Pribil, fliegt er auch für ein paar Tage in die Ferne. Er hat eine Import-Export-OHG von seinem Vater geerbt. Aber die alltägliche Knochenarbeit in seiner Firma betreiben die Angestellten für ihn. Er selbst wird nur noch bei den ganz großen Geschäftsabschlüssen aktiv. Der Knackpunkt in seinem Leben, sagt der Maxim-Marcel, war die Übernahme dieser OHG. Zuerst wollte er sie gar nicht haben, weil sie zu seinen »früheren« Ansichten nicht gepasst hat, aber da war so eine Klausel im Testament, dass er sie nicht verkaufen darf. Entweder er führt sie weiter oder sein Kusin erbt sie. Und da hat sich der dicke Daumen klargemacht, dass er auf seinen sehr angenehmen Lebenswandel verzichten müsste wenn sein Kusin alles erbt, und dass das ihm und seiner Squaw nicht zumutbar wäre. Und so ist er halt seufzend Export-Import-Heini geworden.

Und damals, sagt Mama Pribil, hat er sich diese komische Art zu reden zugelegt. Damit, sagt sie, wolle er sich von seinem Job distanzieren. Weil sich ja außer ihm kein anderer Export-Import-Heini solcher Diktion befleißigt.

Warum sich Mama Pribil dieses irre Gummibärlisprech zugelegt hat, haben mir wiederum Pribil & Pribil erklärt. Ihre Alte, sagen sie, wolle einfach nicht altern. Mit jedem Jahr, das sie zulege, werde ihre Sprache kindischer. Originalton Mercedes-Miriam: »Wenn sie sechzig ist, wird sie nur mehr Baby-bla-bla blubbern!«

Ich bin mir jedenfalls echt nicht klar, ob sich die Pribils den öden Alltag vertreiben, indem sie miteinander eine verdödelte Familienposse aufführen, oder ob sie wirklich so sind, wie sie sich geben, und das alles ernst meinen. Ich habe keinerlei Erfahrung mit dieser Sorte von Familien. Im Grunde habe ich überhaupt keine Erfahrung mit Familien. Die Familien meiner Schulkollegen kenne ich nicht. Ich bin nicht so intim mit den Wapplern, dass ich sie daheim besuchen würde. Und schulferne Freundschaften habe ich bisher nicht gehabt. Was ich über Familien weiß, entstammt meiner eigenen Erfahrung und dem, was ich vom Tanten-Kusinen-Haushalt mitkriege, und das sind ja eher Zweier-Beziehungen. Da ich aber nun heftigen Kontakt mit den Pribils habe, wird sich das bald ändern. Apropos Kusinen-Tanten-Familie! Neben unserem Telefon im Wohnzimmer liegt seit drei Tagen ein Zettel, auf dem steht, von der Alleinerzieherin geschrieben:

»Eva-Maria rief an, wartet auf deinen Rückruf!«

»Eva-Maria rief wieder an, wartet weiter auf Rückruf!«

»Eva-Maria … siehe oben!!!!!«

Wann diese Anrufe stattgefunden haben, hat sie nicht dazugeschrieben. Und mündlich darauf aufmerksam gemacht, dass ich den Rückruf noch immer nicht getätigt habe, hat sie mich auch nicht. Obwohl das sonst ihre aufdringliche Art ist. Daraus entnehme ich: Sie wittert, dass zwischen mir und meiner Kusine allerhand nicht stimmt, und sie will sich taktvoll zurückhalten und keine Fragen stellen. Das ist ihr hoch anzurechnen. Denn dass sie gern wüsste, was da los ist, ist mir klar. Dieses taktvolle Schweigen gehört wohl zur neuen, mir sehr wohltuenden Beziehungslinie, die sie seit vergangenem Sonntag emsig zu mir aufbaut. Dass sie sich darum bemüht, habe ich ausschließlich Jean Paul Sartre zu verdanken. Wie es dazu gekommen ist, ist allerdings eine längere Geschichte, für die ich das nächste Kapitel verwenden werde.

Hier bloß noch dieses: Rund um meinen Pimmel sichte ich wieder schwarze Haare und keine einzige weiße Narzisse mehr! Heute beim Duschen ist mir das aufgefallen. Seit wann die Narzissen weg sind, weiß ich nicht zu sagen, ich glaube, ich habe in den letzten Tagen nie an mir runtergeschaut, wenn ich nackt war.

18.

Über einen deprimierenden Verdacht, mögliche Fassetten
der Liebe betreffend sowie die unbeabsichtigte, aber
erfreuliche Annäherung zweier Generationen via Sartre.

Ich referiere die vergangene Woche am besten chronologisch: Am Sonntag, knapp vor zehn, kam ich also ins Kitschmuseum, man war dort noch beim Frühstück, an dessen üppigen Resten man mich teilhaben ließ. Dann ging ich mit Pribil & Pribil zum Tennisplatz rüber, den ich zwei Stunden später als eindeutiger Sieger verließ. Trotz vom unbequemen Nachtlager total verspannter Rückenmuskulatur! Pribil & Pribil sind grandiose Tennisnieten. Warum ihnen, bei ihrer Unfähigkeit, Tennis spielen Spaß macht, verstehe ich nicht. Vielleicht, weil ihnen das Leben überhaupt Spaß macht. Sie gehen, sagen sie, sogar gern in die Schule. Und das ist, bei ihrem Misserfolg dort, reichlich abartig.

Nachher nahmen sie mich zum Mittagessen mit. Es gab Wildlachs auf Spinat und Kirschenauflauf, zwei-Hauben-mäßig gekocht. Hätte nicht vermutet, dass die Sioux-Squaw derartiges Talent in sich birgt.

Den Nachmittag verbrachten wir im Schwimmbad. Papa Pribil fuhr uns hin. Schwimmen, stellte ich dort fest, können Pribil & Pribil auch nicht besser als Tennis spielen. Wie die jungen Hunde planschen sie stillos durchs Wasser. Macht ihnen natürlich auch Spaß! Nicht mal die roten Nasen, die sie sich durch zu viel Sonne und zu wenig Sonnencreme einhandelten, vermiesten ihnen die Laune. So was von Happy-Pepis ist mir noch nie untergekommen!

Die beiden wären wohl sogar heiter geblieben, hätte man ihnen, heimgekehrt, einen Empfang bereitet, wie er mir zuteil wurde. Ich schaffte das absolut nicht. Als ich vor dem Tantenhaus dem Mercedes der Pribils entstieg, von Papa Pribil mit »Knabe, bleibe mir ein Wackerer!« verabschiedet, war es achtzehn Uhr, und ich war mir keiner Schuld bewusst, denn normalerweise treten wir die Heimfahrt nach dem Nachtmahl an, oft erst gegen zehn Uhr um dem Sonntags-Stau zu entgehen. Doch als ich auf die Haustür zuging, schoss die Alleinerzieherin wie eine von einem Hornissenschwarm Gestochene auf mich zu. »Das geht zu weit!«, schrillte sie und fuchelte dabei mit dem rechten Arm merkwürdig in der Luft rum. Man hätte glatt auf die Idee kommen können, sie würde mir gern eine knallen, halte dieses Verlangen aber mit aller Kraft zurück. Da das allerdings die erste mütterliche Watschen meines Lebens gewesen wäre, verwarf ich den Gedanken.

»Was geht zu weit?«, fragte ich verblüfft.

Sie fuchtelte noch hektischer und schrie, ich möge mich nicht blöd stellen, ich wisse genau, was zu weit gehe.

»Weiß ich ehrlich nicht«, sagte ich.

Worauf sie das Gefuchtel einstellte, die Stimme auf erträgliche Lautstärke drosselte und erklärte, dass ich das Verbrechen begangen habe mich zu entfernen, ohne mitzuteilen, wohin ich mich begebe, und das Delikt dadurch verstärkt habe, dass ich mich den ganzen Tag nicht gemeldet habe und nun noch viel zu spät daherkomme, denn sie habe geplant heute schon um vier Uhr heimzufahren. Sie hätte in ein Konzert gehen wollen. Nun sei es zu spät dafür, wegen mir versäume sie zwei Stunden Gustav Mahler in Gesellschaft eines reizenden Kollegen.

»Woher soll ich das wissen?«, fragte ich. »Warum hast du mir das nicht gesagt?«

Sie schrie: »Wie soll ich es dir sagen, wenn du nicht da bist und ich nicht weiß, wo man dich erreichen kann?«

»Auch wahr«, gab ich einsichtig zu. »Wärt ihr halt ohne mich gefahren, ich wär schon irgendwie heimgekommen.«

Frau Tante hatte wohl im Vorhaus lauernd unser Gespräch verfolgt, schnellte nun wie der Kuckuck aus der Uhr zur Haustür raus und greinte: »Woher sollen wir ahnen, dass du neuerdings mit der Pribil-Bagage intim bist und zum Heimfahren nimmer auf uns angewiesen?«

Zwei keifenden Weibern fühlte ich mich nicht gewachsen, ich zwängte mich zwischen ihnen ins Vorhaus durch. Meine Reisetasche stand noch immer dort. Ich schnappte sie und sagte: »Dann fahren wir schon, wenn's so eilig ist.«

Die Weiber waren mir nachgekommen. Meine Mutter keppelte: »Alles hört auf dein Kommando, oder wie?«

Frau Tante gackerte: »Wir essen jetzt, schließlich haben wir aus Sorge um dich keinen Bissen runtergebracht!«

Ich setzte mich auf die Truhe. »O.k., esst!«, sagte ich.

»Danke, für die gütige Erlaubnis«, zischte die Alleinerzieherin und stampfte der Küche zu. Auf halbem Weg blieb sie stehen, drehte sich um, starrte zusammengekniffenen Auges meine untere Leibeshälfte an. »Das-das-das ist doch«, stammelte sie, langsam wieder näher kommend. Und dann, als sie dicht vor mir war, entrang sich ihr, gewaltig wie der Urschrei: »Meine Armani Jeans!«

Gewiss ist es nicht optimal, ohne zu fragen, anderer Leute Hosen abzuschneiden. Aber die Frau hat -zig Hosen und diese hat sie sich im Ausverkauf irrtümlich um zwei Nummern zu eng erstanden. Monatelang lag das Hoserl ungetragen herum, sooft meine Mutter es gesehen hatte, hatte sie seufzend gesagt, sie werde nie mehr wieder ohne zu probieren im Ausverkauf kaufen, weil da Umtausch ausgeschlossen sei, und dass sie sich zwei Konfektionsgrößen dünner hungere, sei leider unmöglich! Sich darüber zu erregen, dass wer anderer ein Stück Eigentum, welches man selbst nicht nützen kann, nützt, ist ungeheuer kleinkariert. Aber ich beschloss, das nicht zur Sprache zu bringen, meinte bloß friedlich: »Zieh mir das Hoserl in Raten vom Taschengeld ab.«

Sie fauchte: »Du hast wohl keine Ahnung, was eine Armanihose kostet?«

Ich sagte, noch friedlicher: »Für ein Hoserl, das dir nicht passt, wirst mir doch einen guten Preis machen.«

Die Frau hält es nie aus, wenn ich gelassen bleibe, während sie sich zunehmend erregt. Das bringt sie total aus der Fassung! Sie fing zu zittern an wie ein Pudding bei Gegenwind und stampfte in Kleinkinderart mit dem Fuß auf. Hätte nicht viel gefehlt und sie hätte mir die Zunge rausgestreckt.

Frau Tante kam ihr zu Hilfe, nahm sie am Arm, sagte: »Lass dich von dem pubertierenden Monstrum nicht reizen«, und schob sie in die Küche ab.

Ich blieb auf der Truhe. Eine geschlagene Stunde musste ich dort hocken, bis meine drei Lemuren gegessen und gepackt hatten und reisefertig waren. In dieser Stunde kam die Eva-Maria etliche Male durchs Vorhaus. Wir wechselten kein Wort miteinander, vermieden jeglichen Blickkontakt. Aber soweit ich, sie aus den Augenwinkeln observierend, sehen konnte, machte sie ein unglückliches Gesicht und ich musste mir eingestehen: Der deprimierte Mops erregt ein Gefühl des Mitleids in mir! Ich versuchte zu erforschen, warum ich so empfand. Guten Grund dazu hatte ich keinen. Verraten und verkauft hatte mich das Luder, hinterhältiger und schweinischer als alle meine hinterhältigen, schweinischen Klassenkollegen hatte sie sich zu mir verhalten!

Ich sagte mir, dass man sich nicht blitzschnell positive Gefühle abgewöhnen könne, und die Liebe, die ich für meine Kusine empfunden hatte, keine geringe gewesen war; wenigstens gemessen an dem Quantum von Liebe, welches ich für den Rest der Menschheit aufbringe. Und dann fragte ich mich: Wer sagt dir überhaupt, dass du den Mops nicht mehr liebst? Vielleicht hat deine Liebe nur eine neue Fassette bekommen? Etwas Abscheu, ein bissl Hass, ein Fuzerl Verachtung, einen Batzen Wut. Könnte möglicherweise Platz haben in der vagen Verbindung zweier Seelen, die man Liebe nennt. Wäre ich unbeobachtet gewesen, hätte ich sicher, ergriffen von der trostlosen Vermutung, zu heulen angefangen. Aber der Niederlage mich den Damen wässrigen Blickes auszusetzen enthielt ich mich.

Die Heimfahrt verlief absurd. Alle vier saßen wir, wie Plastiktestpuppen für simulierte Verkehrsunfälle, kerzengerade im Auto. Keiner sprach, nur als meine Mutter beim Tantenhaus in zweiter Spur hielt, sagte ihre Schwester vor dem Aussteigen zu ihr »Wir telefonieren!« und die Testpuppe im Fond quetschte »Gute Nacht« durch die Zähne, bevor sie aus dem Wagen kletterte. Ihren Kram mussten sich die zwei selbst aus dem Kofferraum holen, ich spielte weiter Testpuppe.

Fix und fertig war ich, als wir endlich in der Wohnung waren. Nichts als ins Bett wollte ich. Aber die Alleinerzieherin war auf Mutter-Sohn-Aussprache aus. Die lehnte ich zwar ab, aber sie bezog einfach in der Tür zu meinem Zimmer Stellung, bevor ich reinflüchten konnte. Sie stemmte die Arme an den Türpfosten ab und erklärte stur: »Du wirst nicht schlafen gehen, bevor wir alles geklärt haben!«

Wenn sie in dieser Sturbocklaune ist, muss man nachgeben. Hätte ich mir gewaltsam Eintritt verschafft und die Tür hinter mir zugesperrt, hätte sie bis zum Morgengrauen davor gestanden und gepocht. So lehnte ich mich, ihr gegenüber, an den Vorzimmerkasten und sprach: »Falls dieses *alles* nicht nur zwei abgeschnittene Hosenhaxn sind, dann nimm zur Kenntnis, dass ich *alles* in *allem* psychisch angeschlagen bin, weil das kosmische Prinzip Liebe zwar das Weltall in der auseinander strebenden Fülle seine Kräfte und Gestalten bändigt und einigt, aber in mir nur unbändig saumäßiges Tohuwabohu verursacht!«

Dieser hehre Satz ließ sie die Hände von den Türpfosten nehmen. Die rechte legte sie an die Lippen, wohl um einen Ausruf des Unverständnisses zu ersticken, die linke presste sie an den Magen, möglicherweise, weil sie das Gehörte unverdaulich fand, ich schlüpfte an meiner Mutter vorbei und flüchtete zu meinem Bett. Die Tür hinter mir zuschlagen hatte ich nicht können. Da hätte das Türblatt die mitten auf der Schwelle Stehende mit voller Wucht getroffen. Und an einem Stupsnasenbruch wollte ich nicht schuld sein. Aber mein Statement ließ Frau Mutter Respektabstand zu mir halten. Von der Schwelle aus fragte sie: »Was soll das heißen?«

Ich riss mir die Klamotten vom Leib, kroch unter die Decke und sagte: »Ist ja mein Problem, dass ich nicht weiß, was es heißt!« Bereits unter der Decke, rief ich: »Und dass das Lieben seinem Wesen nach der Entwurf ist, sich lieben zu lassen, hilft mir auch nicht weiter!«

»Das ist ja von Sartre!« Echt gerührt blickte die Alleinerzieherin plötzlich, ganz so, als habe sie im Trödelladen, unter viel Ramsch, einen Teddy entdeckt, der dem in ihrer Kindheit geliebten Exemplar aufs Haar gleicht. Sie kam einen kleinen Schritt ins Zimmer rein und sagte mit sanfter Schlafliedstimme: »Das Ziel der Liebe besteht darin, auf die Freiheit des Anderen einzuwirken, aber die Freiheit intakt zu lassen. Sie soll sich selbst dazu bestimmen, Liebe zu werden!« Und nach einer winzigen Andachtspause: »Hat mich früher sehr beschäftigt!«

Ich greinte aus der Decke raus: »Schöner Satz, aber ich kann ihn im Moment nicht genießen!«

Sie kam wieder einen Schritt näher. »Er meint, geliebt werden wollen heißt, den Anderen zwingen wollen, mich fortwährend neu zu erschaffen, als die Bedingung für seine Freiheit.« Dann warf sie mir einen Kusshandblick zu, verließ meine Kammer und schloss die Tür so sanft hinter sich, als verließe sie das Gemach eines Todkranken. Wahrscheinlich eilte sie in ihr Zimmer rüber, Sartre lesen und ebenso wahrscheinlich hatte sie mich wieder ganz-ganz-ganz lieb. Weil sie sich sartremäßig mit mir verbunden fühlen durfte. Sie sucht ja immer »nach einem Ansatzpunkt für den Hebel um in meinen Querschädel einzudringen«, und da sie sich früher selbst ihr Teeny-Hirn darüber zermartert hatte, wie der Onkel

Sartre das mit dem Lieben, dem Entwurf und der Freiheit meine, konnte sie sich nun beruhigt sagen: Auch wenn es meistens nicht danach aussieht, meine Leibesfrucht ist doch von *meinem* Schlage!

Den Kusshandblick hat sie die ganze Woche über beibehalten. War insofern auch nicht schwer für sie, da wir uns kaum gesehen haben. Ich war jeden Nachmittag mit Pribil & Pribil zusammen und bis auf einen auch jeden Abend. Die Abende verbrachten wir im Kino, bei irren Filmen über die Invasion Außerirdischer, über einen babykillenden Zwerg, das Liebesleid eines versoffenen Musical-Stars und dergleichen Käse. Pribil & Pribil stehen auf so was. Nicht, dass sie den Wahnwitz für gut hielten, sie sagen geilgierig: »Den Scheiß ziehen wir uns rein!« Und ich hocke dann verwirrt zwischen den vor sich hin Kichernden im Plüsch, bediene mich aus den Popcorntüten rechts und links und versuche erfolglos aus dem Leinwandunfug ebenfalls Lustgewinn zu ziehen.

Die Nachmittage eröffneten mir wenigstens einen neuen Sektor des Stadtlebens. Wir vertrödelten sie in Schanigärten, bei Cocacola. Bier ist für Pribil & Pribil nur ländliches Wochenendgesöff. Den Geschwistern reicht es, vom Cola nippend, Vorbeikommende zu begucken, und vor sich hin dösend alle paar Minuten eine nichts sagende Wortspende abzugeben. »Krieg Hunger« oder »Schwänz heut lieber die Nachhilfe« oder »Brauch noch ein Cola.«

In der Schule haben mir Pribil & Pribil allerdings reichlich Ansehenszuwachs eingetragen. Der Michael und der Anatol haben mich mit den beiden im Schanigärten gesehen und waren beeindruckt, dass ich mit »Schickimickis« Umgang pflege. Keine Ahnung, warum ihnen Pribil & Pribil als solche erscheinen, ebenfalls keine Ahnung, warum sie sich um Kontakt zu Schickimickis reißen – jedenfalls fragen mich der Alexander, der Michael und der Anatol jetzt täglich, ob ich am Nachmittag Zeit für sie hätte. Wohl mit dem Hintergedanken, dass ich sie bei Pribil & Pribil einführe, denn bisher war keiner von ihnen auf meine Nachmittagsgesellschaft happig. Ich werde ihnen natürlich nicht zu Willen sein. Aber es macht Spaß, ihnen vage Andeutungen über meine Schickimickis hinzuwerfen. Und diese Andeutungen tuscheln die drei Dödeln dann reichlich ausgeschmückt der restlichen Klassenbelegschaft zu, wodurch ich zum Pausen-Top-Gespräch avanciert bin. Nur schade, dass gerade Prüfungs-Endspurt ist und sich viele in der Klasse vor lauter Fünfer-Gezitter am Tratsch über mich nicht rege beteiligen.

Dieses vorferiale Fünfer-Gezitter ist mir jedes Jahr besonders lästig. Ich zittere ja nicht. Erstens, weil meine Leistungen nie in Fünfer-Nähe geraten, und zweitens, weil mir auch Fünfer egal wären. Und hockt man als ein an Noten Desinteressierter unter Noten-Hysterikern, wird man noch mehr zum Außenseiter. Gestern, in der Pause vor der letzten Mathe-Arbeit, hocke ich friedlich auf meinem Stuhl, habe das Geduldsspiel vom Michael in der Hand und versuche die vier Silberkugeln in die vier Augen des Marsmonsters zu kriegen, da wummert mir plötzlich eine Faust auf den Schädel. Ich sehe perplex hoch, steht der Marcus hinter mir, starrt verbittert auf mich runter und sagt: »Du blöder, unsolidarischer Scheißarsch, du!«

Ich frage, mir den Schädel reibend: »Wieso?«

Sagt er: »Wir scheißen uns aus Angst vor der Mathe-Arbeit alle die Hosen bis aufs Kreuz rauf voll, aber dich geht das ja nix an, du hockst cool da und rollst Kugerln rum!«

Ich habe darauf verzichtet, ihn zu fragen, welches Verhalten er für mich passend fände. Für mich gibt es da einfach kein passendes Verhalten. Ich kann doch nicht so tun, als wäre ich auch vom Hosenscheißer-Gruppengefühl gebeutelt. Dann würde es sicher heißen: »Der Arsch-Bonsai schreibt Einser und tut, als ob er Angst hätte!« Oder soll ich ihnen das Bild eines zwar nicht Betroffenen, aber vor Mitgefühl Strotzenden bieten? Wüsste nicht, wie ich das hinkriegen sollte. Sooft mich noch wer Konkretes zur Wissenslückenfüllung gefragt hat, habe ich – so gut ich konnte – Auskunft erteilt. Auch während der Arbeiten habe ich erbetene Hilfe geleistet, Schwindelzettel geschrieben und weitergereicht. Ist nicht meine Schuld, wenn aufflog, dass die Lösung von mir stammte, weil ich Mathe-Beispiele gern »unorthodox« löse. Das kommt davon, dass ich mich im Unterricht oft wegträume und dann halt auf andere Lösungen verfalle als die uns gelehrten.

Allerdings gibt es etliche in der Klasse, die sich mathemäßig auch sehr leicht tun, und denen hält niemand vor ein arroganter Arsch zu sein. Die Anita, die am Pult hinter mir sitzt und auch meistens Mathe-Einser hat, hat sich gerade ihre Nägel lackiert, als mir der Marcus eine auf den Schädel gewummert hat. Warum hat er nicht zu ihr gesagt, dass sie ein unsolidarischer Arsch ist? Weil sie eben nicht der Bonsai ist, an dem sich jeder nach Lust und Laune Aggressionen abreagieren kann!

19.

Wie Endliches & Unendliches von Vergrößerungsbrillen
verdrängt werden, Pribil & Pribil über Zeitliches & Ewiges
obsiegen und ich mich für weiche Wolkerl-Aura
zunehmend erwärme.

Mercedes-Miriam und Maxim-Marcel bringen mich um den Verstand. Einerseits gehen mir die Dummbauchis auf die Nerven, andererseits faszinieren sie mich, ich bin ihnen verfallen und nehme mir übel, dass ich von ihnen nicht lassen kann. Ich verkomme hirnmäßig und giere süchtlerisch nach diesem verabscheuungswürdigen Zustand. Ich versuche mir zwar einzureden, dass ich bloß ein Gedankenmacher auf Erholungsurlaub bin, aber der Verdacht sitzt mir klammeraffenfest im Genick, dass ich gar kein Urlauber bin, sondern mich zum schwer wieder integrierbaren Langzeitarbeitslosen entwickle und meine Karriere als Durchdenker bereits der Vergangenheit angehört.

Da aber alles, was »vergangen« ist, unmöglich wieder ungeschehen zu machen ist, kann es nicht »vergehen«, bleibt also erhalten. Inwiefern mir diese alte Philosophenweisheit jedoch ein Silberstreifen am Horizont sein sollte, wüsste ich im Moment echt nicht zu sagen.

Seit Tagen liegen zwei dünne Bücher auf meinem Nachtkastel, ein Kierkegaard und ein Heidegger. Das sind so leichtfassliche Einführungsbändchen für geistiche Diäthalter, wohl damit sie in kluger Gesellschaft auch ein bisschen mitreden können. Die schlanke Lektüre hatte ich mir aus dem mütterlichen Buchbestand als zarte Kost zum Wiedereinstieg ins Denken-light verordnet. Doch mehr als drin rumzublättern bringe ich einfach nicht. Dabei habe ich den sicheren Verdacht, dass mir speziell dieser Kierkegaard allerhand geben könnte. Das wittere ich schon beim vagen Blättern darin. Existenz und Angst, Freiheit und Entscheidung, Synthese des Endlichen und des Unendlichen, des Zeitlichen und des Ewigen! So etwas sollte doch Futter für meine kleinen grauen Zellen, ganz nach ihrem üblichen Gusto, sein.

Aber ich liege lieber zwischen Pribil & Pribil im Bad, sardineneng aneinander geschichtet auf einer schmalen Holzpritsche, statt dass ich mir reinziehe, wie der Mensch von der ästhetischen Stufe durch das offene Eingeständnis der Verzweiflung auf die ethische Stufe gelangt und auch dort allein ist und sich der Grenzen seiner Freiheit bewusst wird, bis er endlich kapiert hat, dass es der Gnade Gottes bedarf, aus der Angst und der Verzweiflung rauszukommen, und er dann willig hinnimmt, dass sein Glaube ein Glaube an das Absurde ist.

Wenn wir drei, Sonnenschutzfaktor 12 mariniert, nebeneinander klotzen und durch die Armani-Sonnenbillen in den Himmel starren (die Brillen haben wir im Drillingslook erstanden und ich muss demnächst Taschengelderhöhung beantragen, damit ich mit den Pribils ausgabenmäßig weiter mithalten kann), pflege ich eine Patschhand auf dem nackten Bauch vom Maxi-Marcel zu deponieren und eine auf dem nackten Bauch von Mercedes-Miriam. Beide Baucherln sind mir sehr angenehm, ich könnte echt nicht sagen, dass dann in einer der Pfoten ein messbar stärkeres Wohlgefühl entstünde, und was sich unter meinem Badehoserl dabei erregt, ist auch eher von vernachlässigenswerter Größe. Aber meine sexuelle Ausrichtung scheint mir auch bereits Blunzen geworden zu sein, nicht einmal mit der Frage kann ich mich noch befassen.

Einigermaßen absurd ist zudem, dass ich hirnmäßig dahinsandle, während die schönen Dummbauchis an meinen Flanken in der Sommersonne direkt zu heideggern anfangen; falls ich das mit meiner Mini-Hirnaktivität überhaupt noch beurteilen kann.

Hat zum Beispiel der Maxim-Marcel gestern versonnen gemömelt: »Wenn ich einmal hundert bin, will ich dreihundertfünfundsechzig mal hundert Spaß im Leben gehabt haben, dann kann ich zufrieden sterben.« Heidegger behauptet doch, man müsse das Leben vom Tode her sehen, es sei nichts als ein »Vorlaufen in den Tod«.

Und die Mercedes-Miriam hat darauf ebenso versonnen gemurmelt: »Na sowieso, wenn sie einen schon ungefragt in die Welt setzen.« Kommt doch Heideggers »In die Welt geworfen sein« nahe, oder?

Fehlt nur noch, dass mir die zwei eine verkürzte Trivialfassung vom Zugang zum eigentlichen Selbst durch die Angst, die Grundstimmung des Daseins, liefern.

Oder ist das in ihrem gern und oft gesagten »Nur net denken, sonst kommst noch auf was drauf, was beschissen wär'« schon enthalten? Wäre echt zu überlegen, ob ihre Selbsts (oder sind das Selbste?) nicht besser als das meine über die Nichtigkeit und Unheimlichkeit ihrer Existenz Bescheid wissen und daraus die Konsequenz des absichtlichen Total-Verdödelns gezogen haben. Egal: *I love to hate them, I hate to love them.*

Und das ist immerhin eine brandneue Sorte von Gemütsbewegung für mich. Ansonsten gebe ich mich auch brandneuen Tätigkeiten hin. Gestern am Nachmittag bin ich dem dicken Daumen mit Schnurrbart beigestanden Schummelzettel für die heutige Latein-Schularbeit der zwei Substandard-Heideggerianer zu verfertigen. Alle wichtigen Vokabeln, die ihre Hirnderln nicht behalten wollen, und das sind sehr viele, haben wir zusammengeschrieben. Für jeden Jung-Pribil eine individuell passende Auswahl. In 7-Punkt-Schriftgröße haben wir die Vokabel-Sammlungen ausgedruckt. Erstaunlich, wie viel auf einen 25 cm langen, 4 cm breiten Streifen, der in ein Feder-Etui reinpasst, draufgeht.

Lesen lässt sich diese 7-Punkt-Schrift freilich auch mit Argusaugen nicht mehr. Doch die liebende Mama Pribil hat zwei Stück Vergrößerungsbrillen besorgt. Ganz schmale Dinger. Lässt man die bis zur Nasenspitze runtergleiten, hat man gesenkten Hauptes, über den oberen Brillenrand drüber, gute Normalsicht auf das Schularbeitsheft, rückt man die Brillen nasenwurzelwärts, hat man durch die Gläser enorm vergrößernden Ausblick auf den Schummelzettel im Feder-Etui.

Angeblich hat die Sache heute bei der Latein-Schularbeit halbwegs geklappt. Wenigstens haben mir das Pribil & Pribil gerade jubelnd telefonisch durchgegeben und mich deswegen für 17 Uhr zu einer häuslichen Familienfeier mit Sekt und Kaviar und Mama-Pribil-Schnitten bestellt. Doch eine objektive Einschätzung ihrer Leistung ist den Happy-Pepis nicht zuzutrauen. Sie können nämlich viel zu wenig Latein um zu beurteilen, ob sie richtig übersetzt haben oder nicht. In Mathe und in Deutsch stehen den beiden diese Woche ebenfalls noch die entscheidenden Schularbeiten bevor. In Mathe könnte ihnen vielleicht so ein 7-Punkt-Formelzettel auch helfen. Aber für die Deutsch-Schularbeit müsste der ganze Rechtschreib-Duden auf dem Feder-Etui-Streifen Platz haben. Echt schrullig, wie Pribil & Pribil Buchstaben zu Worten kombinieren. Speziell die Dehnungen haben es ihnen angetan. Er hat es mit der Liebe zu den stummen Hs, sie mit der Liebe zu den langen Is. Er schreibt *Maschihne* und *Lihnie*, sie schreibt *Maschiene* und *Lienie*.

Die Squaw behauptet, ihre Kinderchen könnten da gar nichts dafür und es sei eine Batzengemeinheit, dass sie deswegen immer pfuigacka-Noterln kriegen, denn da gehe es nicht um Dummheit oder Faulheit, sondern um eine Krankheit. Sie sagte: »Meine armen Kinderchen sind doch psychologisch überprüfte Lagesteniker.«

Worauf der dicke Daumen sprach: »Womit eindeutig

dargelegt sein dürfte, wer ihnen diese Krankheit vererbt hat!«

Aber die Squaw nahm seine Pflanzerei nicht krumm. Sie tätschelte bloß dem dicken Daumen zärtlich die Glatze und sprudelte wie der gedopte Papagei raus: »Schatzilein, weißt eh, dass dein Weiberl mit Fremdwörterln auf Kriegsfußerl steht, hat kein Papatschi wie deines gehabt, das sie aufs Gymnasium geschickt hat, wär ich dort gewesen, wär ich so ein Gscheiterl wie du geworden, und wenn ich ein bisserle die Wechstaben verbuchsle, verstehst ja trotzdem, was dein Mausi meint.«

Wenn man das so hinschreibt, liest es sich komplett vertrottelt. Aber hat man sich erst mal an die Squaw gewöhnt, nimmt man es ihr nicht übel, man muss sie gern haben. Irgendwie wabbert um Mama Pribil eine dicke cosy Aura. Die Frau ist eingebettet in ein weiches, warmes Wolkerl, und wenn man Lust dazu hat, kann man zu ihr ins Wolkerl reinschlüpfen. Klingt auch vertrottelt, stimmt aber trotzdem.

Die Alleinerzieherin hat klarerweise gestänkert, als ich auf ihre Frage, welche Familie diese Pribils seien, dass ich so auf sie abfahre, antwortete: Vier Menschen, die einander lieben und leben lassen.«

»Ach, wie nett«, hat sie gesagt und auf Kleinmäderlart in die Hände geklatscht. »Und dir ungeliebtem, am Leben gehinderten Knaben geben sie sicher die Chance dich in ihr Lieben und Leben zu integrieren!«

Sie ist nämlich schon wieder sauer auf mich. Stocksauer. Das hat sich von Tag zu Tag langsam aufgeschaukelt.
Aber sie ist nicht wegen meiner Zuneigung zu den Pribils gram, sondern weil ich ihre Annäherungsversuche
per Sartre entschieden abgewehrt habe. Meine Sartre-
Kenntnis beschränkt sich nur auf die paar Sätze, die ich
ihr damals, nach der Heimkehr vom Land, aus der Tuchent raus, zugerufen habe. Und in meiner momentanen
hirnmäßigen Verfassung ausschließlich ihr zuliebe ein
paar Bände Sartre durchzuackern, damit sie mit mir darüber diskutieren kann und sich mir »nahe« fühlen darf,
wäre wohl etwas viel von mir verlangt.

Ich verstehe einfach nicht, warum die Alleinerzieherin
derart auf »entweder-oder« programmiert ist. Entweder
böse, verbitterte Konfrontation mit mir oder innigste
Zuwendung zu mir. Entweder streitet sie mit mir auf
Teufel komm raus oder sie versucht mich liebend einzu-
vernehmen und über mich drüberzusinken wie ein
Germteig mit viel zu viel Germ drin. Abgesehen von den
kurzen Zeiten freilich, wo sie in heißer Liebe zu einem
Typ entflammt ist. In diesen leider äußerst raren Wochen
ist echt gut mit ihr hausen. Aber wahrscheinlich sind
diese Wochen deswegen so selten, weil sie mit ihren
Lovern genauso umgeht wie mit mir, und wer nicht von
Geburt an auf die Frau trainiert ist, der hält dieses Wech-
selbad von viel zu kalt und viel zu heiß, von Besitzer-
greifen und Ablehnen schon gar nicht durch und flüch-
tet in Panik.

Manchmal überlege ich mir, was ich tun werde, wenn ich das Gymnasium endlich hinter mich gebracht habe, großjährig bin und irgendetwas studiere. Bleibe ich dann im gemeinsamen Haushalt mit Frau Mutter wohnen oder ziehe ich aus, ist die Frage.

Mein Erzeuger und die Alleinerzieherin würden mich garantiert finanziell so gut wattieren, dass ich mir ein Solo-Single-Leben in einer netten, kleinen Wohnung leisten könnte. Und in einem beschaulichen Hotel-Mama, in dem eine emsige Nur-Hausfrau den Nachwuchs hegt und pflegt und ihm Nesterl-Atmosphäre erzeugt, von der man nicht lassen mag, logiere ich sowieso nicht.

Ich gebe es mir selbst nur äußerst widerstrebend zu, aber die Vorstellung meiner Frau Mutter zu entkommen, scheint mich nicht enorm zu locken. Ich bin nicht einmal in der Lage mir das Single-Solo-Leben hübsch auszuträumen, da kriege ich keine greifbaren Tagtraumbilder hin, alles bleibt vage und verschwommen und lustlos. Hingegen gelingt es mir mühelos, mich als altes, vertrocknetes Herrchen, zusammen mit einem noch älteren, noch vertrockneteren Weiblein gemeinsam hausen und streiten zu sehen. Jedes Detail kann ich mir da imaginieren, sogar für unsere künftigen Alters-Tagesstreite könnte ich ein Seifenopern-Serien-Drehbuch mit neunundneunzig Folgen schreiben.

Was daraus zu schließen ist, werde ich mir überlegen, wenn ich wieder besser denken kann. Jetzt gehe ich lieber zu den Pribils zur Schummelzettel-Feier!

20.

*Nötiger Nachtrag zu dem vorangegangenen Lamento über
die Beziehung zwischen mir und meiner Mutter.*

Wie das mit mir und meiner Frau Mutter ist, warum alles
so verquer bei uns zugeht, ist höchstens schlüssig zu erklären, wenn man glaubt, was ein Herr Otto Weininger
behauptet hat. Aber der hätte sich vielleicht auch noch
etwas weniger Merkwürdiges ausgedacht, wenn er länger gelebt und sich nicht schon mit dreiundzwanzig Jahren erschossen hätte. Der irre Kerl hat ein Buch geschrieben, welches »*Geschlecht und Charakter*« heißt
und so simpel gehalten ist, dass ich es sogar in meiner
Mattscheibigkeit kapiere. In dem Buch sagt er, dass es
zwei polare Seelenformen gibt, die des Mannes und die
des Weibes. M und W kürzt er sie ab. So richtig »rein«,
sagt er, treten die Ms und die Ws nie auf, eher mehr oder
weniger vermischt. Und das Gesetz der sexuellen At-
traktion beruht nun darauf, sagt er, dass das optimale
Paar zusammen 1 W + 1 M wäre. Also etwa eine Frau,
bestehend aus $3/_4$ W + $1/_4$ M, zieht einen Mann, bestehend aus $3/_4$ M + $1/_4$ W an, weil das zusammen 1W + 1M
ergibt.

Falls das nicht nur für den Sex, sondern überhaupt
fürs Harmonieren miteinander gilt, dann passen meine
Mutter und ich halt nicht zusammen. Weil sie garantiert
$7/_8$ M + $1/_8$ W ist und ich – selbst wenn ich mich noch
zum Homo mausern sollte – zumindest $1/_2$ W + $1/_2$ M

bin, was $^{11}/_8$ M + $^5/_8$ W ausmacht, und wir also weit davon entfernt sind, uns auf 1 W + 1 M zu ergänzen. Mehr als $^1/_2$ W kann ich mir weiningermäßig beim besten Willen nicht zusprechen, weil bei mir die Sexualität nicht »über den ganzen Körper ausgebreitet ist«, was er dem Weibe zuspricht, sondern eher »lokalisiert«, was er für männlich hält. Zudem gehe ich ja absolut nicht W-mäßig »in der Sexualität auf« und bin garantiert weder »absolute Mutter« noch »absolute Dirne«, was er von einem hundertprozentigen Weib fordert.

Und als Nachtrag zu meiner künftigen Lebensplanung sei noch gesagt, dass ich mir wohl ein Studium werde aussuchen müssen, das nur irgendwo im Ausland optimal zu machen ist. Dann muss ich einfach weg und brauche mich nicht privaterweise zu entscheiden. Warum ich so sicher annehme, dass ich überhaupt studiere, ist eigentlich auch komisch. Nur weil ich einen studierten Stammbaum habe? Sogar meine beiden Omas waren promoviert und eine meiner Uromas hat noch mit sechzig Jahren als Witwe irgendwas inskribiert, weil man es ihr in Jugend- und Ehejahren nicht erlaubt hatte. Aber es müsste doch auch zu leben sein, ohne dass man seine zwölf oder vierzehn Semester runterreißt.

Zu irgendeiner Kunst tauge ich allerdings nicht, da kann ich mir beim besten Willen kein einziges, wirkliches Talent zusprechen. Und im Sport bin ich auch nur eine mittelmäßige Begabung. Werbung, das wäre vielleicht etwas für mich, da ich keine Skrupel habe der

Menschheit unnützes Zeug aufs Auge zu drücken. In dem Sinne könnte ich auch Politiker werden, aber höchstens Quereinsteiger, denn die Polit-Ochsentour ist nichts für mich. Doch da müsste ich vorher eine andere Karriere machen, unbekannte Quereinsteiger sind leider nicht gefragt.

Und auf alle Fälle bleibt mir ja noch, was mir der Sokol, unser Schulwart, heute angeraten hat. »Du Burscherl«, hat er zu mir gesagt und mich wohlgefällig von oben bis unten betrachtet, wozu man ja nicht lange braucht, »du könntest der perfekte Jockey werden! So kleine Stöpsel wie dich suchen die Rennstallbesitzer wie einen Bissen Brot.«

Eines weiß ich jedenfalls ganz genau: Philosophie werde ich nicht studieren. Vergangenen Herbst habe ich etliche Male die Schule geschwänzt, bin zur Uni reingefahren, habe mich zu den Vorlesungen der Philosophie-Studenten des ersten Semesters durchgeschlagen und mir angehört, was denen vorgetragen wird. Also, daran bin ich echt nicht interessiert.

Ist ja eh logo, schließlich hat schon Kant geschrieben: »Philosophie kann nicht gelehrt werden«, nur das Philosophieren, schreibt er, kann gelernt werden.

Die letzten Seiten durchlesend attestiere ich mir aufatmend einen klitzekleinen Wiedereinstieg in den Gedankenmacher-Job. Ich sollte wohl einfach mehr Selbstdisziplin aufbringen und mich tageweise von den Pribils sowohl geografisch fernhalten als auch innerlich isolieren, dann könnte es hirnmäßig sicher wieder flotter vorangehen und wenigstens zum Teilzeit-Denker reichen. Das kommende Wochenende wäre dafür eigentlich günstig. Ich könnte es allein in Wien zubringen statt die Pribils ins Ländliche zu begleiten. Eine Ausrede, warum ich nicht mitkomme, wird mir schon einfallen.

Das wäre auch insofern gunstig, als ich mir dann nicht wieder wie voriges Wochenende der Alleinerzieherin nervendes Gelaber darüber anhören müsste, dass ich mich vielleicht besser gleich von den Pribils adoptieren lassen solle, wenn ich lieber mit ihnen fahre, bei ihnen esse und bei ihnen übernachte!

Ich wollte mich aus der Affäre ziehen, indem ich ihr erklärte, dass ich bei den Pribils in einem eigenen Gästezimmer schlafen könne, und das sei mir lieber als mit meiner Kusine ein enges Kämmerchen zu teilen. »Die Eva-Maria schnarcht nämlich!«, habe ich gelogen. »Und das bringt mir qualvolle, wache Stunden.«

»Sie schnarcht absolut nicht«, hat die Alleinerzieherin gesagt, und dann hat sie gekeift: »Aber bitte, wenn dem jungen Herrn die Hütte seiner Tante zu minder ist und er nicht einmal mehr am Wochenende ohne eigenes Zimmer auskommt, muss ich das akzeptieren!« Und bevor ich etwas zurückkeifen konnte, hat sie gezischt: »Du hast eben leider eine Mutter, die sich mit eigener Arbeit durchs Leben bringt, die keinen Export-Import geerbt hat und als arbeitsloser Dagobert Duck auf Millionen sitzt!«

Woraus zu ersehen ist, dass sie über den dicken Daumen mit Schnurrbart Erkundigungen eingezogen hat,
denn ich habe ihr kein Sterbenswort über die Finanzlage
der Pribils gesagt. Und die Tante Erika hat vor zwei Wochen darüber auch noch nicht Bescheid gewusst, denn
da hat sie mich neugierig gefragt, womit denn diese Pribil-Bagage eigentlich ihr Geld verdiene.

21.
*Von einem entlarvten Angeber, einer Kaffeehäferl
schleudernden Alleinerzieherin und einem zuerst tränenden,
dann maßlos vorwürflichen Religionsspringer.*

Die letzte Schulwoche hat gestern angefangen, die Konferenzen sind vorüber. Mercedes-Miriam hat es bis auf eine Nachprüfung in Mathe geschafft, Maxim-Marcel hat nur in Latein eine positive Note hingekriegt, müsste also im Herbst in Mathe und Deutsch Prüfungen ablegen. Aber der Squaw reicht's! So lässt sie ihre Kinderchen nicht behandeln, sagt sie. Die kommen im Herbst in eine Privatschule, wo man gegen Geld mehr Verständnis für ihre arme Würmchen haben wird. Ich bezweifle, ob es so eine Schule gibt. Aber gibt es sie, wird Mama Pribil sie ausfindig machen, selbst wenn sie sich in Papua-Neuguinea befindet. Tät mir aber Leid, meine zwei Dummbauchis an Papua-Neuquinea zu verlieren.

Absolut nicht Leid tut mir, dass mein Pultnachbar Michael im Herbst nicht mehr neben mir sitzen wird. Er hat sich in einer Schule am anderen Ende der Stadt angemeldet. Weil er mit seinen Alten im Sommer dorthin ziehen wird und ihm dann der Schulweg zu lang wäre. Er hat gesagt: »Bei meiner Oma rieselt der Kalk, die ist lull und lall, kommt in ihrer Zwölf-Zimmer-Villa nimmer zurecht, da muss meine Mutter das Regiment übernehmen, sonst wäscht sich die Alte im Bidet und legt sich zum Schlafen in den Schrank.«

Aber das stimmt nicht, seine Oma ist im Kopf noch voll da und ihr Siedlungshaus an der alten Donau hat nur drei kleine Zimmer. Der Vater vom Michael, hat der Alexander gesagt, ist seit zwei Jahren arbeitslos, seine Eltern sind monatelang die Miete schuldig, die Räumungsklage läuft, da bleibt ihnen nichts anderes übrig als sich bei der Oma einzuquartieren. Angeblich ist der arbeitslose Vater depressiv und hat einen Selbstmordversuch hinter sich.

Höchst erstaunlich, wie der Alexander das erzählt hat! Total wurschtig, direkt hämisch und schadenfroh. Und die anderen, die das weitertuscheln, scheinen auch nicht vom Mitgefühl gebeutelt, sie delektieren sich eher daran, dass sie »die Wahrheit« wissen und ihn »Plunder daherreden« lassen. Wenn man solche Freunde hat, braucht man echt keine Feinde mehr.

Mir geht die beschissene Lage vom Michael ebenfalls nicht nahe. Bei der Minus-Ration Freundlichkeit, die der Kerl fünf Jahre für mich übrig hatte, wäre es ein Wunder, wenn es anders wäre. Nahe geht mir aber, dass ich an der Sache merke, welch Eiseskälte im Grunde in der Klasse herrscht. Was da unter Freundschaft läuft, ist bloß zweckorientierte Kumpanei auf Zeit. Ich kann eigentlich froh sein, dass die Wappler zu mir nie das geringste bisschen Freundschaft geheuchelt haben. Sieht man davon ab, dass ein paar Wappler im Moment gern ihre Nachmittage mit mir teilen würden um an Pribil & Pribil ranzukommen. Ich war von Anfang an ein zur allgemeinen Belustigung freigegebener Bonsai, zwischen ihnen und mir waren die Fronten von vornherein klar und keinerlei Enttäuschung möglich.

Apropos Enttäuschung und Mitgefühl! Heute kam unser frommer Mann mit seiner Gitarre in die Klasse. Er wollte mit uns in der letzten Religionsstunde des Schuljahres Liedlein singen. War aber keiner in sangesfroher Stimmung. So hat er frustriert gefragt, ob sich jemand irgendwelche Glaubensfragen vom Gemüt reden möchte. Tatsächlich hat sich die Iris gemeldet. Dass sie nicht versteht, warum Gott nicht verhindernd dreinfährt, wenn böse Menschen Böses tun. Und dass er doch wenigstens etwas dagegen tun müsste, dass unschuldige Babys verhungern. Weil mir klar war, dass jetzt eine Debatte über den freien Willen losgeht, den Gott den Menschen gegeben hat, und weil ich diese Debatte – so wie sie in unserer Klasse geführt wird – bereits mehrmals durchleiden musste, hörte ich nicht mehr hin. Ich schenkte meine volle Aufmerksamkeit dem Reise-Katalog, den mir die Alleinerzieherin am Morgen überreicht hatte. Andere Leute buchen ihren Urlaub ja im Frühling, aber meine Mutter liebt es »spontan« und in der Preisklasse, die ihrer würdig ist, gibt es noch einen Tag vor dem Abflug reichlich Hotelzimmer.

Ich möge aussuchen, wohin wir fliegen, hatte sie mir am Morgen, beim Frühstück, gesagt. Sie wolle nur ausspannen vom Stress und nicht nachher hören, dass sie über mich »verfügt« habe. Ich möge aber, hat sie mir nachgerufen, als ich mit dem Katalog aus der Küche ging, bei der Auswahl des Ziels und des Hotels berücksichtigen, dass die Tante Erika nicht so viel Geld wir wir habe. Vier Wochen Costa Smeralda im Fünf-Sterne-Aga-Khan-Palast sollten es dieses Jahr nicht sein, sonst müsse sie wieder wie voriges Jahr ihrer Schwester alle Extras blechen. Aber auf alle Fälle braucht sie einen Tennisplatz!

»Musst du eigentlich jedes Jahr mit deiner Schwester urlauben?«, rief ich aus dem Vorzimmer zur Küche hin. »Oder geht das vielleicht einmal ohne sie und ihre Tochter?«

Mit ihrem rot getupften Kaffeehäferl in der Hand wuselte sie aus der Küche raus. »Dürfte ich vielleicht endlich erfahren, warum du urplötzlich deine Kusine wie die Pest meidest?«

»Ich käme zu spät in die Schule, würde ich dir das jetzt auseinander setzen«, sagte ich und wollte zur Tür hin. Sie stürzte auf mich zu wie der gereizte Panther, so rasant, dass viel Kaffee aus dem rot getupften Häferl schwappte, über ihre Hand lief und auf den Boden runterplatschte. Sie ignorierte die Kaffee-Sauerei auf dem Boden, packte mich am Hemdärmel und jammerte: »Ich bin keine, die sich ins Heckmeck der Kids mischt, aber da geht es um unsere Familie. Seit Wochen rätseln die Erika und ich, was passiert ist. Die Eva-Maria jedenfalls hat keine Ahnung und sie heult sich jeden Abend die Augen aus. Also, was ist los?«

Ich versuchte die Krallenhand vom Ärmel zu beuteln, aber die erregte Frau ließ nicht locker. Da ich das Hemd nicht in die Hose gesteckt, auch die obersten zwei Knöpfe nicht geschlossen hatte, öffnete ich einfach die restlichen drei Hemdknöpfe, schlüpfte aus dem Hemd und lief in mein Zimmer um mir ein T-Shirt überzuziehen. Als ich wieder ins Vorzimmer kam, stand die Alleinerzieherin da, wie ich sie zurückgelassen hatte, mein Hemd – auf Halbmast flatternd – in einer Hand, das Häferl in der anderen, maßlos empört blickend.

»Baba«, sagte ich freundlich, grapschte mir den Katalog vom Fensterbrett und verließ die Wohnung. Hinter mir schepperte es grandios. Ich vermutete gleich: Jetzt hat sie ihr Kaffeehäferl gegen die zugefallene Wohnungstür gewummert!

Da wir nur ein rot getupftes Kaffeehäferl besaßen und dieses zu Mittag, als ich heimkam, nicht im Geschirrspüler war, hat sich mein Verdacht als richtig erwiesen.

Der Alleinerzieherin ist wahrscheinlich nicht aufgefallen, dass ich die Frage nach einem schwesterlosen Urlaub in der Einzahl stellte. »Kannst du«, fragte ich, nicht »können wir«. Ich nämlich werde überhaupt nicht mit ihr verreisen, egal, ob Tante und Kusine mitkommen oder nicht. Ich habe die Einladung vom dicken Daumen angenommen und werde mit den Pribils in USA urlauben. Das bei meiner Mutter durchzusetzen wird nicht leicht sein. Aber ich weiß, wie ich es schaffe. Die Pribils fliegen nach New England, dort lebt der Bruder der

Squaw. Und ebendort, in New England, lebt ja mein Erzeuger. Offiziell werde ich ihn besuchen. Schließlich hat er mich schon mehrmals eingeladen. Dass ich dann in der Praxis sehr wenig bei ihm bin, sondern bei den Pribils, wird er merken, wenn es so weit ist. Und wenn ein Sohn Nähe zu seinem Vater sucht, kann eine Mutter wohl keinen Einspruch erheben.

Allerdings muss ich ihr das bald sagen, die Pribils wollen die Flüge bestellen. Und vorher muss ich den Erzeuger anrufen und ihm sagen, dass sein Spross kommt. Davor habe ich mich bisher gedrückt. Nicht, dass ich Angst hätte, er könnte mir absagen, das würde er nicht tun, selbst wenn ihm danach ums Herz wäre. Aber ich habe noch nie von mir aus Kontakt zu ihm aufgenommen und bei allem, was ich zum ersten Mal tun soll, zögere ich rum und schiebe es vor mir her. Etliche Male hatte ich schon den Hörer in der Hand und legte ihn dann wieder auf. Ich muss mir erst exakt zurechtlegen, was ich ihm über den Atlantik durchgebe. Ich weiß zum Beispiel nicht, ob ich sagen soll »Ich will zu *dir* kommen« oder »Ich will zu *euch* kommen«, ob ich fragen soll »Darf ich?« oder ob ich so tun soll, als wäre es selbstverständlich, dass ich komme.

Jedenfalls studierte ich heute in der Religionsstunde bar allen persönlichen Interesses den Reise-Katalog, einzig und allein darauf bedacht, Frau Mutter ein gutes Reiseziel anzubieten. Blätternd überlegte ich, welches Hotel in welcher Gegend nicht nach »Familien-Hotel« ausschaut, denn dass die Frau beim Anblick gut aussehender, gut verheirateter Männer im besten Alter Depressionen kriegt, weiß ich aus langjähriger Erfahrung. Gerade als ich einen passenden Luxus-Kasten in der Toskana entdeckt hatte – die Zimmerpreise wiesen darauf hin, dass dort kaum ganze Familien logieren können, außerdem hatte der Kasten mehr Einzel- als Doppelzimmer – schwappte mir unseres Religions-Springers Fistelstimme ins Ohr: »Vergiss nicht, Iris, Gott hat uns Menschen nach seinem Ebenbild erschaffen.«

Ich klappte den Katalog zu und sagte laut: »Umgekehrt Euer Ehren, die Menschen haben Gott nach ihrem Ebenbild erschaffen.«

Der fromme Mann bekommt das Nerven-Zwinkern ums linke Auge, das er immer kriegt, wenn ich das Wort an ihn richte, und fragt: »Wie meinst du das?«

»Wie ich's gesagt habe«, antworte ich. »Die Menschen basteln sich ihre Götter nach ihren Bedürfnissen zusammen.«

Fragt er noch mal, mit zunehmenden Zuckungen: »Wie meinst du das?«

Antworte ich: »Wird wohl an den jeweiligen Bedürfnissen liegen, dass der Gott der Islam-Fundis anders aussieht als der Gott eines hiesigen Links-Katholen und dass diese beiden Götter mit denen eines Voodoo-Priesters in Mali keine Ähnlichkeit haben.«

Fragt er wieder und zwinkert zum Gotterbarmen: »Wie meinst du das?«

Antworte ich: »Forget it, wenn Sie es bis jetzt nicht geschnallt haben, wird's nimmer.«

Kriegt er auch ums rechte Auge rum das Zucken und japst: »Hältst du mich für zu dumm um mit dir zu diskutieren?«

Sage ich höflich: »Ich maße mir nicht an über die Gründe Ihrer Unfähigkeiten zu urteilen.«

Da rutscht ihm das Zucken in die Kinnpartie runter und er greint: »Warum quälst du mich immer so, kannst du mich nicht in Frieden lassen, was habe ich dir denn getan, du Satan?«

Dicke Tränen quellen aus seinen Augen, sein Kinn schnackelt wie wild drauflos, er reißt die Gitarre an sich, presst sie an die Brust und rennt aus der Klasse, wobei er, wohl wegen der Tränaugen, die Kurve zur Tür nicht packt und mit dem Schädel an den Schrank wummert, was der Gitarre einen unharmonischen Klageton entlockt.

Die Klassenbelegschaft lachte los, der Anatol brüllte »Spitzenleistung«. Der Michael sagte: »Den hast auf einen Millimeter z'ammgestaucht«. Und hinter mir hörte ich einen sagen: »Respekt, Respekt, klein aber oho, der Bonsai!«

Und wer anderer rief: »Da kann er sich aber beschweren gehen, Satan braucht er sich nicht schimpfen zu lassen!«

Ich war schockiert. Den frommen Mann weinen machen war nicht meine Absicht gewesen. Hätte nicht mal angenommen, dass es im Bereich meiner Möglichkeit liege. Noch dazu in der letzten Religionsstunde des Schuljahres. Der Dolm hätte sich doch denken können: Gütiger Vater im Himmel, Dank sei Dir, von diesem Satan habe ich ab jetzt endgültig meinen Frieden! (Es sei denn, der wackere Kaplan hat den Vorsatz uns auch nach den Ferien im Göttlichen zu belehren, aber das würde gegen den traditionellen Springer-Wechsel verstoßen.)

Weil mir der klasseninterne Applaus nicht behagte, verließ ich die johlenden Wappler und begab mich ins Erdgeschoss zum Getränke-Automaten. Ich drückte mir eine Packung Saft raus, rammte den beigepackten Plastikhalm durch das beschichtete Papier, lehnte mich neben dem Automaten an die Wand, nuckelte die Chemie-Zitronade und wunderte mich über das spinnwebenzarte Nervenkostüm des frommen Mannes.

Als ich den Graussaft intus hatte und die Packung in den Mülleimer werfen wollte, kam das Objekt meiner Verwunderung die Treppe herunter, mit einem Stoß Bücher unter dem Arm und wieder einigermaßen gefasst. Ich wollte ihm dezent meinen Anblick ersparen, drehte mich dem Automaten zu und tat, als drücke ich mir noch eine Saft-Packung raus. Aber der Kerl eilte nicht an meiner Kehrseite vorbei. Er blieb hinter mir stehen und sprach: »Entschuldige meine Entgleisung, ich bedaure ehrlich, dich in meiner Erregung Satan genannt zu haben, das war nicht richtig.«

»No problem«, murmelte ich ratlos. Lehrer-Entschuldigungen sind schließlich so rar, dass ein Schüler dafür keine Standard-Erwiderung abrufbereit auf Lager hat.

»Aber ich bin auch nur ein Mensch, es verletzt mich, dass du für mich nur Verachtung übrig hast«, fuhr der fromme Mann fort.

Ich stellte das Rumfummeln am Automaten ein, wendete mich dem Bekenner zu und schaute ihn verblüfft an. Verachtung? Die Mühe das arme Würstchen zu verachten hatte ich mir wahrlich noch nie gemacht. Aber hätte ich ihm das mitgeteilt, hätte er es wohl zuzüglich auf mein Verachtungs-Konto gebucht. Also sagte ich gar nichts, versuchte mich bloß im freundlichen Grinsen. Auch das legte er mir falsch aus. Ich möge ihn nicht schon wieder derart »von oben herab« behandeln, quäkte er; was absurd war, weil er enorme Überlänge hat und ich ihm kaum bis an die Schulter reiche.

Dann hielt er mir einen Vortrag, der sich bis über das Ende der Pause erstreckte. So in Fahrt kam er, dass er meinen Hinweis, ich müsse in die Klasse zurück, die nächste Unterrichtsstunde habe begonnen, einfach nicht zur Kenntnis nahm. Ich sei doch, hielt er mir vor, ein außergewöhnlich gescheiter Knabe, dazu noch gebildeter und belesener als die meisten Knaben in meinem Alter, aber ich benütze leider meine Intelligenz und mein Wissen nur dazu, andere Menschen »auseinander zu nehmen«, alles an mir sei »total negativ ausgerichtet«, es fehle mir an Idealen, an Begeisterung für das Edle, Gute, Wahre und Schöne, für nichts könne ich mich engagieren, mir mangle es sichtlich an der Fähigkeit zu lieben, ich möge in mich gehen und mir überlegen, wozu der Mensch auf Erden sei, wo der Sinn des Lebens für mich liege, er wolle mir gar nicht mit Religion kommen, aber auch ohne »in Gott geborgen und aufgehoben« zu sein, müsse doch bei meinen Fähigkeiten für mich irgendwas Positives, Bejahendes rausschauen! Es gäbe so unendlich viel, worum sich ein junger Mensch annehmen könne, wofür er seine Energien gottgefällig einsetzen könne, oder seinethalben auch menschengefällig, und tue er das, katapultiere er sich damit aus seinem eigenen unglücklichen Zustand heraus! Denn dass ich beileibe nicht glücklich sei, das merke man mir genau an.

»Hätten Sie einen diesbezüglichen Tipp für mich?«, fragte ich ihn. Mag sein, dass es spöttisch klang, aber dass das Würstchen darob derart ausrastete, war denn doch übertrieben. Er bekam einen knallroten Schädel, hob seinen Bücherpacken mit beiden Händen hoch, schmetterte ihn zu Boden und schrie mit Zitterstimme: »Jedes Wort an dich ist verschwendet!«

Dann ging er in die Knie, grapschte nach seinen verstreuten Büchern und keifte zu mir rauf, dass er für elitäre Schnösel wie mich leider keinen Tipp habe, denn einer wie ich interessiere sich nur für sich selbst, dem sei Armut und Elend anderer, Hunger und Not, Rassismus und Tierquälerei, Unterdrückung und Zerstörung der Natur völlig gleichgültig.

Mag sein, dass die Liste dessen, was einem wie mir

völlig gleichgültig ist, länger war, aber der Kerl keifte so schnell und so undeutlich drauflos, dass ich möglicherweise nicht alles mitkriegte.

Dann hatte er seine Bücher endlich wieder auf einem Packen, sprang auf und rannte dem Schultor zu. Aus einem der runtergeplumpsten Bücher war ein kleiner rosa Zettel gerutscht und bis zu meinen Schuhspitzen geflattert. Ich hob ihn auf. In des Springers mir widerlicher, weil nach links geneigter, Handschrift war darauf geschrieben: »Jahwe ist gut zu dem, der ihm vertraut, zur Seele, die ihn sucht, gut dem, der schweigend harrt, auf Hilfe von Jahwe! Heil dem Mann, welcher trägt sein Joch von Jugend an.«

Muss wohl eine Bibelstelle oder so was Ähnliches gewesen sein, rausgesucht für die sonntägliche Predigt. Ich legte den Zettel in die »Entnahme«-Vertiefung des Getränke-Automaten. Vielleicht, dachte ich mir, kann der nächste Saft-Holer damit was anfangen.

22.
Von jeder Menge ungesagt gebliebener Rechtfertigungen sowie dem misslungenen Plan ohne Konflikt mit der Alleinerzieherin über den Atlantik zu düsen.

Seit mir gestern unser Religions-Springer in der Schule vor dem Getränke Automaten seine Sicht meiner Person knieenderweise vom Kachelboden rauf zugekeift hat, bin ich hirnmäßig mit seinen lächerlichen Vorwürfen permanent beschäftigt. Es ist zwar völlig vertrottelt und total absurd, aber unentwegt lege ich mir diverse ausführliche Verteidigungsreden wohlgesetzt zurecht, sehe mich vor dem Bücher einsammelnden, erregten armen Würstchen stehen und höre mich ihn »von oben herab« mit gewaltigen, niederschmetternden Entgegnungen eindecken.

Anscheinend hat es mich tief in die Seele getroffen, dass der Idiot gerade *mir* Gleichgültigkeit gegenüber all dem verdammten, weltweiten Superscheiß unterstellt, den Menschen einander antun! Und dass es mich tief in die Seele trifft, wenn einer, von dem ich überhaupt nichts halte, von mir überhaupt nichts hält, ist auch einigermaßen blödsinnig.

Aber wahrscheinlich kommt das daher, dass einer wie ich mit solchen Vorwürfen, egal von wem sie kommen, nie im Leben gerechnet hat. Schließlich habe ich das flammend lodernde Bedürfnis mich für all das zu »engagieren«, von dem der fromme Oberdödel meint, es interessiere mich nicht, bereits im Volksschulalter üppig hinter mich gebracht.

Wilde Streitereien mit meiner Alleinerzieherin habe ich damals durchgestanden, weil sie sich weigerte eine Schar Asylanten in unsere zweihundertfünfundreißig-Quadratmeter-Wohnung reinzunehmen, und was wir an Hab & Gut haben, solidarisch mit ihnen zu teilen. Eine militante Baby-Green-Peace-Gruppe wollte ich zwecks Heilung der Natur und Sieg über die Umweltzerstörer gründen, konnte aber leider kein einziges Mitglied anwerben, trotz tagtäglichem Propaganda-Feldzug auf dem Kinderspielplatz im Park. Und fünfzig Prozent meines Taschengelds händigte ich zwei Jahre lang jeden Montag dem einzigen türkischen Gastarbeiterkind unserer Klasse aus. Der Knabe war zuerst darob höchst verwundert, gewöhnte sich aber schnell daran und gab mir dann, als ich mal eine Woche nicht zahlte, einen Tritt in den Arsch, der mich der Länge nach aufs Pflaster streckte und mich den letzten Milchzahn kostete.

Ich entwarf als neunjähriger Stöpsel sogar ein zu Herzen gehendes Flugblatt in Sachen »Gerechtigkeit & Brüderlichkeit«, ließ es mir von der gerührten Alleinerzieherin in den Computer tippen und fünfzigmal ausdrucken. Und dann verteilte ich es in den Pausen an meine Klassenkameraden, die es ungelesen in den Papierkorb warfen.

Diese hilflosen Aktivitäten habe ich längst hinter mir. Heute bin ich nicht mehr so verlogen wie all die engagierten Wappler mit ihrem ewigen Betroffenheits-Gelaber. Bereits dieses sekundäre »betroffen« ist doch eine maßlose Frechheit, weil es so tut, als ob die, die nur seelenvoll Anteil nehmen am Leid anderer, genauso schlimm dran wären, und so »betroffen« wie die tatsächlich Leidenden.

Und was könnte ich denn tun, wenn ich mich von den Betroffenheits-Wapplern nicht emanzipiert hätte? Soll ich vielleicht das Grüppchen der neunundvierzig Aufrechten, die vor der türkischen Botschaft mit einem mickrigen Transparent für einen eigenen, freien, nationalen Kurdenstaat demonstrieren, auf satte fünfzig aufstocken?

Oder soll ich mir einen gelben Atomkraft-nein-danke-Button auf das Jackerl stecken und mich dann fühlen, als hätte ich der Atomlobby ein Haxl gestellt und sie sei dadurch ins Stolpern gekommen?

Soll ich den sündteuren Perserteppich, den sich meine Alleinerzieherin jüngst flächendeckend ins Wohnzimmer gelegt hat, mit Wundbenzin übergießen und anzünden, weil er vermutlich von zehnjährigen Kindern gegen Schandlohn geknüpft worden ist?

Oder soll ich vor dem Asylantenheim allein wie eine Mutterseele Mahnwache halten oder mit der Spraydose durch die dunklen Nächte schleichen und *Nazis raus* an möglichst denkmalgeschützte Hauswände sprühen?

Oder – und das wäre vielleicht dem Religions-Springer am liebsten – zu Heilige-Drei-Könige als Mohr eingefärbt und alufoliegekrönt, mit der Dritten-Welt-Sammelbüchse scheppernd, heiligmäßige Gstanzeln absingen, damit die Caritas ihre leeren Kassen auffüllt?

Ich lebe in einer sehr privilegierten Kleinstfamilie einer sehr privilegierten Schicht eines sehr privilegierten Staates, bin also auf die dreifache Butterseite dieser Welt gefallen, und falls sich die, die es nicht so gut haben wie ich, sondern sehr mies, das nicht mehr gefallen lassen wollen und daherkommen und mich meiner Überfluss-Idylle zu berauben gedenken, dann sollen sie sich halt bedienen und ich werde gelassen dabei zuschauen, keine Träne vergießen und freundlich sagen: »Na, hat es euch endlich gereicht? War auch schon langsam Zeit!« Ich hoffe wenigstens, dass ich das schaffen würde.

Keine Ahnung, was mir der Religions-Springer geantwortet hätte, hätte ich ihm einiges von dem beim Getränke-Automaten gesagt, statt bloß blödsinnig grinsend dazustehen. Aber es ärgert mich ungemein, dass ich mir überhaupt überlege, was dieser ignorante, selbstgefällige Tugendbolzen darauf zu sagen gehabt hätte.

Ich hoffe, es jetzt hingeschrieben zu haben, befreit mich von allen weiteren Überlegungen darüber; denn im Moment ist es wesentlich wichtiger, dass ich mich ordentlich auf eine knochenharte Auseinandersetzung mit der Alleinerzieherin vorbereite.

Aus dem cleveren Plan vordergründig bei meinem werten Erzeuger in den USA zu urlauben, um mich gleichenorts hintergründig dem Wohlleben mit den vier Pribils hinzugeben, ist nämlich leider nichts geworden.

Als ich mich endlich überwunden hatte, meinen Herrn Vater anzurufen, und als ich ihn dann heute am Nachmittag auch telefonisch erreicht hatte – bei so einem Ober-Über-Quadrat-Boss ist das gar nicht so leicht, da wird man dauernd von irgendwelchen Vorzimmerdamen auf »Please darling, try it in five minutes« vertröstet, – teilte er mir mit, bevor ich ihm noch mein Ansinnen unterbreiten konnte, dass er mich ohnehin seit Tagen anrufen wolle um mir zu sagen, dass er sich schon irrsinnig auf die kommenden zwei Sommermonate freue, weil wir uns da oft sehen werden. In zwei Wochen fliege er mit Weib und Kind nach Salzburg, dort habe er im Ländlichen, am Trummer-See, ein toll renoviertes Super-Bauernhaus gemietet, eines mit privatem Direktzugang zum Wässerchen, und ich sei natürlich jederzeit von ganzem Herzen willkommen. Das Haus habe fünf Schlafzimmer und drei Badezimmer, also reichlich Platz für uns alle. Wenn ich möge, könne ich auch einen Freund oder eine Freundin mitbringen. Er selbst werde zwar nicht immer anwesend sein, aber zumindest an den Wochenenden werde er kommen, werktäglich müsse er sich leider oft in München und Düsseldorf rumtreiben, dort baue er gerade für seine Firma zwei Tochtergesellschaften auf. Aber an den Wochenenden könnten wir Segeln und Surfen und Tennis spielen, Drei-Hauben-Essen konsumieren und Gedanken austauschen, Golf spielen könne er mich auch lehren und seine liebe Frau freue sich schon unendlich, ihren Stiefsohn so richtig kennen zu lernen, und Baby-Darling-Sister sei auch schon ganz geil auf ihren big European Brother.

Ich verzichtete darauf, ihm den Grund meines Anrufs mitzuteilen und ließ ihn im Glauben, dass mich neuerdings Sohnesliebe-pur zum Hörer greifen lasse.

Nun, wo der Vater-Vorwand weg ist, muss ich der Alleinerzieherin wohl klipp und klar sagen, dass ich nicht mit ihr, sondern mit den Pribils urlauben werde. Und das sollte ich unbedingt noch heute hinter mich bringen, denn Mama Pribil hat vor, morgen mit meiner Mutter Kontakt aufzunehmen. Sie hat zu mir gesagt, es gehe wirklich nicht an, dass meinem allerliebsten Mütterlein die Familie, mit der ihr Schnuckelchen für ein paar Wocherln nach Überseetscherl jettet, völlig unbekannt bleibt. Meine Mutter, hat sie gesagt, gibt dann ja quasi das Sorgerecht für einen Monat an das Ehepaar Pribil ab und da muss sie doch wissen, ob sie den Nachwuchs würdigen Personen anvertraut, sonst hat sie keine ruhige Minute. Und außerdem, hat die Squaw gesagt, sei es ohnehin längst fällig, miteinander näher bekannt zu werden, es sei lächerlich, dass meine Familie im gleichen Dorferl wie sie ein Häuserl habe, aber dadurch bis jetzt keine gemeinsame Wochenend-Geselligkeit entstanden sei, wo man doch so viel miteinander unternehmen könnte, zum Beispiel herrliche Grill-Abende, Tarock-Nachmittage oder gemeinsames Steinpilzsuchen im Tann.

Dass die Vorstellung, meine Mutter und meine Frau Tante könnten schwesterlich verbunden mit der Squaw schwammerlsuchend durchs Unterholz kriechen, Schweinsrippchen über der Holzkohle wenden oder einen Solo-Pagat ansagen, völlig abstrus ist, habe ich der Squaw natürlich nicht gesagt. Ich habe ihr nicht einmal gesagt, dass meine Tante mit ihr nichts zu tun haben will, weil mein Ex-Onkel mit einer Pribil-Kusine eine Liebschaft gehabt hat.

Wenn Mama-Pribil über meine ahnungslose, von mir nicht vorbereitete Alleinerzieherin hereinbricht, könnte das noch irrwitziger werden, als es ohnehin schon werden wird, wenn diese zwei konträren Weiber aufeinander prallen.

Und dass ich die Pribils nicht in meinen vordergründig-hintergründigen-USA-Plan eingeweiht habe, liegt einfach daran, dass ich Angst habe, sie könnten ihre Einladung flugs widerrufen. Leicht vorstellbar, dass die Squaw mitleidig dreingeschaut und zu mir gesagt hätte: »Burschilein, wenn dein Mamale traurig ist, wenn du mit uns mitkommst, dann solltest du das lieber nicht tun!«

Mama Pribil bewundert nämlich meine Mutter aus der Ferne, sie hat allerhand übrig für smarte Karriere-Ladys, die – wie sie sagt – auf eigenen Beinen stehen und das Leben ohne dicken Daumen mit Schnurrbart meistern.

Heute beim Zweier-Nachtmahl, für das ich im Supermarkt zwei TK-Pizzas gekauft habe, werde ich der Alleinerzieherin klaren Wein einschenken. Und ich werde beinhart bleiben, auch wenn sie wimmert und tobt und vorwürflich wird und sich im Autoritären versucht, das schwöre ich mir! Und falls ich meinen Schwur breche, will ich mit mir auf ewig nichts mehr zu tun haben.

23.

*Von einer völlig unerwartet positiven Reaktion der
Alleinerzieherin und von unterschiedlichen Ansichten
darüber, wer wem ein Ohr geliehen habe.*

Ich habe mich ganz grundlos vor der abendlichen Ur
laubs-Diskussion mit meiner Mutter gefürchtet. Aber so
ist das ja meistens: Wittert man schreckliche Zores, bleiben sie aus, erwartet man sich keinen Zoff, prasselt das
Ungemach hageldicht auf einen runter.

Wie geplant ging ich es beim Nachtmahl an. Einen
Sektor aus meiner zu lange im Backrohr verbliebenen
Tiefkühl-Pizza säbelnd sagte ich möglichst gelassen:
»Du, es ist hoch an der Zeit, dass wir jetzt endlich unsere
Urlaube klären.«

Die an den Rändern schwarzen Salamischeiben von
ihrer TK-Pizza kletzelnd, weil sie Verkohltes für Krebs
erregend hält, sprach sie sichelmündig: »Ach, hat dich
dein Vater bereits angerufen? Na, dann ist mir schon alles klar! Du fährst also nicht mit uns weg, weil du deine
Kusine nimmer leiden kannst, weil ich dir auf die Nerven gehe und deine Tante auch und weil dir dein Vater
einen viel tolleren Urlaub mit Luxus-Villa am See, Segeln, Karten für die Festspiele und einen Golfplatz als
Draufgabe bieten kann und dazu eine herzliebste kleine
Schwester und eine supercoole Zweit-Mutter!«

Ich hörte verdutzt zu säbeln auf. Dass die Frau so tat,
als habe der Erzeuger einen weit luxuriöseren Lebens-

standard als sie, was überhaupt nicht stimmt und nur dazu dient, seine Zahlungen für mich als zu gering hinzustellen, verdutzte mich nicht, daran bin ich schließlich gewöhnt. Mich verdutzte, dass sie von ihres Ex-Gemahls Miet-Haus in Salzburg bereits wusste, aber es nicht der Mühe wert gefunden hatte, mich zu informieren!

Schwamm drüber dachte ich, das jetzt auszudiskutieren ist nicht der passende Termin. Und so sagte ich zielstrebig: »Ich denke doch gar nicht daran, bei ihm zu logieren und auf verlorenen Sohn zu spielen, ich werde nämlich mit den Pribils nach Amerika fliegen, und zwar für vier Wochen nach New England.«

Ich hatte mir einen gewaltigen mütterlichen Protestschrei erwartet, aber der kam nicht. Die Alleinerzieherin entfernte das letzte angekohlte Radl Salami vom Germfladen und blickte mich regelrecht strahlend an. »Sehr gut«, rief sie. »Da wird mein werter Ex-Gemahl aber von den Seidensocken sein, wenn du seine väterliche Langzeitbetreuung einfach ausschlägst!«

Es war sonnenklar: Sie verleiht mich lieber an die Pribils als an meinen Vater. Höchst erstaunlich, aber auch höchst erfreulich für mich.

»Und was machst du?«, fragte ich.

Sie zuckte mit den Schultern. »Ich werde wohl mit der Erika irgendwohin nach Italien fahren, ich kann ihr unsere uralte Urlaubs-Genossenschaft doch nicht einfach aufkündigen.«

»Kannst du sehr wohl«, sagte ich. »Musst dich nur trauen!«

»Werde es mir überlegen«, murmelte sie. Und dann wollte sie von mir stantepede die Pribil-Telefonnummer, zwecks Absprache eines Mütter-Treffens wegen näherer Umstände meiner Mitnahme.

»Da gibt es gar nichts abzusprechen«, widersetzte ich mich.

»Allerhand, mein Sohn«, sagte sie. »Die Kosten bei so einer weiten Reise zum Beispiel sind kein unwesentlicher Faktor.«

»Ich bin eingeladen von ihnen«, sagte ich. »Da fallen überhaupt keine Kosten an!«

»Kommt doch gar nicht in Frage«, sagte sie, »das haben wir wirklich nicht nötig.«

»Und sie haben es nicht nötig, dass sie sich was für mich bezahlen lassen«, rief ich. »Die haben reichlich.«

»Was sie nötig haben oder nicht, interessiert mich nicht«, sagte sie. »Wir nehmen keine milden Gaben an.«

Ich schrie: »Das sind meine Freunde, es geht nicht um dich, du nimmst gar nichts an, halt dich da gefälligst raus!«

Und aus Angst, sie könnte sich doch nicht raushalten und in Kenntnis ihrer Spare-froh-Gesinnung, fügte ich noch hinzu: »Übrigens fliegen die Pribils nur Business-Class, soll ich vielleicht um dein Geld mutterseelenallein zehn Stunden hinten Economy-Class sitzen?«

»Beileibe nicht um mein Geld«, sprach Frau Muttern

219

milde lächelnd, »laut Regelung deines Unterhalts ist allein dein Vater für deinen Urlaubsaufwand zuständig und der wird wohl oder übel einsehen müssen, dass er dir den Standard der Pribils leisten muss, wenn du mit denen mitfährst. Und da er selbst auch stets Business-Class fliegt, wird ihn das nicht befremden.«

Dann hob sie ihr Bierglas, prostete mir zu und trank das halbe Seidel in einem Zug leer. Die Vorstellung ihrem Ex-Gemahl keinen Sohn überlassen zu müssen, aber dafür hohe Kosten aufzuhalsen, bereitete ihr erkennbar Vergnügen. Derart zufrieden war sie, dass sie sogar auf mein Ersuchen das Telefonat mit Mama-Pribil auf morgen verschob. Und sie fragte nicht mal nach, warum ich das unbedingt wolle. Ich hätte es ihr auch kaum exakt erklären können. Irgendwie hatte ich das Gefühl, ich müsse die Squaw vor meiner Mutter so lange wie möglich schützen. Oder wollte ich mich davor schützen, dass ich mich nach dem Telefonat fragen lassen musste, welch vertrottelte Person denn diese Pribil sei? Welch hirnverbannten Unsinn die Squaw dahergeredet habe?

So was kann meine Mutter nämlich perfekt, sie kann sogar Stimmen imitieren, das Honig-Gesummse der Squaw kriegt sie garantiert mit links hin. Und die Güte, dass sie alle »erln« und »chen« und »le« und sonstigen Baby-Quak der Squaw ohne Spott und Hohn hinnimmt, hat die Alleinerzieherin nicht. Eine Frau wie Mama Pribil ist gefundenes Fressen für sie, da stürzt sie sich drauf wie der Geier aufs Aas.

Geht es um andere Menschen, stört mich der Alleinerzieherin Bosheit keineswegs, sondern amüsiert mich eher. Aber ich weiß genau: Wenn sie über die Squaw herziehen wird, wird in mir der Beschützerinstinkt wach werden, ich werde ausflippen und ihr an den Kopf werfen, dass ihr diese Frau weit über ist und Qualitäten hat, von denen sie sich was abpausen könnte. Und wenn sie mich mit hochgezogener linker Augenbraue hämisch fragen wird, was denn diese sagenhaften, ihr mangelnden Qualitäten der Frau Pribil seien, dann werde ich keine Antwort drauf wissen, denn damit, dass die Squaw in einem warmen, watteweichen Wölkchen schwebt, an welches man sich bei Bedarf ankuscheln kann, darf ich meiner Alleinerzieherin nicht kommen. Sonst meldet sie mich sofort bei ihrem Psychologen-Freund zur Langzeittherapie an.

Aus schierer Dankbarkeit dafür, dass die ganze Angelegenheit so glatt gelaufen war, leistete ich dann der Alleinerzieherin ein Stündchen Gesellschaft auf der Lederbank im Wohnzimmer und ließ mich auf den Sartre-Plausch ein, den sie vom Zaun brach.

Viel hatte ich zum Thema nicht beizusteuern, aber das fiel der Frau kaum auf, denn sie ist gern selbst am Reden und hält von einem ausgeglichenen Dialog wenig.

Mein Wissen über Sartre konnte ich, ihr zuhörend, auch nicht komplettieren, denn sie schwafelte bloß erinnernd drauflos, wie ihre frühen Jugendjahre von der Existenzphilosophie geprägt worden seien und wie sie sich »dem Nichts existenziell gestellt« habe, wodurch ihr Lidstrich wesentlich schwärzer und dicker, ihr Schlabberpulli wesentlich weiter und länger geworden sei und die blaue, filterlose Gauloise zu ihrer Leibzigarette avanciert sei und sich ihr konservativer Klassenvorstand darüber erregt habe.

Ihre Freundinnen hätten leider mit ihrer Sartre-Verehrung auch nichts anzufangen gewusst, die seien dummes, junges, grünes Gemüse gewesen und zu ihrer Schulzeit war der Zeitgeist auch längst ein anderer und der Existenzialismus ungerechterweise passé. Die Sartre-Verehrung habe sie von ihrem viel älteren Kusin Rudi übernommen, der allerdings später dann völlig vertrottelt, verspießert und Gendarmerie-Major geworden sei. Darum habe ich den nie kennen gelernt, weil sie aus Enttäuschung jeden Kontakt mit ihm abgebrochen habe.

Und dass sie damals darauf bestanden habe, mit ihrem ersten platonischen Lover per »Sie« zu kommunizieren, erzählte sie mir, weil Sartre und seine Lebensgefährtin Simone de Beauvoir trotz jahrzehntelanger, tiefer Liebe auch nicht per »du« miteinander waren, aber ihr Lover habe da nicht mitgespielt und sie für übergeschnappt erklärt.

Und dann behauptete sie, sichtlich gehe es mir genauso wie ihr in Jugendjahren, geistige Auseinandersetzung mit den tiefen Dingen sei eben leider für durchschnittliche, oberflächliche Teens nicht nachvollziehbar, wodurch sich tiefe, jugendliche Denker, die alles hinterfragen müssen, sehr einsam fühlen. So wie sie damals, ich heute.

Als ich dann, abgeschlafft und mitgenommen vom mütterlichen Erinnerungsbrei, im Badezimmer stand und mir die Beißerchen putzte, hörte ich die Frau in ihrem Zimmer mit gedämpfter Stimme telefonieren.

Kreuz Teufel noch einmal, dachte ich mir, hat die aufgekratzte Person jetzt doch noch bei den Pribils angerufen? Also schlich ich mit weißschäumendem Maul zu ihrer Zimmertür hin und legte das frisch gewaschene Ohr an diese.

Ich hatte einen falschen Verdacht gehegt. Mit einem »lieben Bluntschli« redete sie. Diesem lieben Bluntschli sagte sie, dass sie ihn heute leider habe versetzen müssen, weil sie ihren Sohn nicht habe vernachlässigen können, der habe dringend ihrer bedurft. Söhne im Alter ihres Sohnes bräuchten halt viel Zuwendung und ein mütterliches, offenes Ohr! Und sie habe ein sehr, sehr gutes Gespräch mit ihrem Sohn gehabt, sie und ihr Sohn seien einander nun wieder viel näher.

Vor Erstaunen darüber, dass ihrer Meinung nach nicht mein Ohr, sondern das ihre offen gewesen sei und dass wir uns nahe gekommen seien, verschluckte ich mich, kriegte eine Portion Zahnpastaschaum in den Schlund, unterdrückte, um nicht als elender Lauscher entlarvt zu werden, den Hustenreiz und bekam dadurch einen widerlichen Brechreiz. Mit vor dem Mund gehaltenen Pfoten raste ich aufs Häusel und kotzte weißschaumig verzierte Pizzabrocken raus.

Da mein Magen das Nachtmahl unverdaut hatte wieder rausrücken müssen, überfiel mich bald darauf nagendes Hungergefühl. Und als ich dieses in der Küche stehend durch den Verzehr eines zähen Salzstangerls besänftigte, kam Frau Muttern herein. Wohl auf Grund ihrer neuen Nähe zu mir fand sie diese Sorte von Nahrung unzumutbar und trug sich an, mir eine Marmelade-Palatschinke zu backen. Da die Frau aber noch nie in ihrem Leben einen ordentlichen Palatschinken zu Wege gebracht hat, lehnte ich dankend ab und sie entfernte sich erleichtert.

24.

Letztes Kapitel, welches in Überlänge ausfallen wird,
weil sich die Ereignisse überschlagen haben und ich mich
außer Stande fühle sie kapitelweise zu portionieren.

Am Morgen des ersten Ferientages frühstückte ich mit
der Alleinerzieherin in totaler Harmonie. Nachher, beim
Einschichten des Geschirrs in die Spülmaschine, teilte
sie mir mit, dass sie jetzt ein langes, laues Schönheitsbad
nehmen werde, dann werde sie mit den Pribils telefonieren und nachher für mich Ferien-Klamotten kaufen gehen um mich auf Pribil-Standard zu bringen. Sie war einigermaßen verblüfft, als ich ihr erklärte, sie möge mir
lieber mehr Barcs auf die Reise mitgeben, weil ich mir
neue Klamotten in USA erstehen wolle, dort seien sie
viel billiger und cooler.

»Aber du hasst doch alle textilen Läden wie die Pest«,
staunte sie.

»Gehört der Vergangenheit an«, antwortete ich und
sie nahm es wohlwollend zur Kenntnis.

Ist nämlich beileibe nicht so, dass meine Kleidergröße
nur bei Benneton 0–12 lagert! Wenigstens nicht in den
USA. Der dicke Daumen, der ja meine Körperkürze hat,
kennt in New York mehrere Super-Dealer, die für unser-
einen edles Passendes haben. Für mich, hat er mir erklärt, noch in wesentlich größerer Hülle und Fülle als
für ihn, weil ich normal proportioniert bin und nicht
sein Geldschrank-Format habe.

Ich hatte vor mich zu den Pribils zu begeben um mich der Squaw und meinen geliebten Dummbauchis beim Coiffeurbesuch anzuschließen. Mein Haarschnitt, hatten Mercedes-Miriam und Maxim-Marcel nämlich behauptet, bedürfe dringlich des mütterlichen Leibfriseurs weltmeisterlicher Hand, so wie er ist, sei er zu simpel. Aus meinem üppigen Haupthaar ließe sich eine wesentlich tollere Frisur gestalten.

Dass meine Mutter erst nach dem Schönheitsbad mit den Pribils Telefon-Kontakt aufzunehmen gedachte, erleichterte mich. Zu dem Zeitpunkt, sagte ich mir, sitzt Mama Pribil mit uns bereits beim Coiffeur-Weltmeister und die Alleinerzieherin kriegt nicht sie, sondern den dicken Daumen zu sprechen. Und über den kann sie sich nicht lustig machen; wenigstens nicht, solange sie ihn bloß hört, aber nicht sieht.

»Könntest du so lieb sein und einen Sprung zur Erika rauf machen und die Balkonblumen gießen, liegt doch auf deinem Weg, oder?«, fragte mich die Alleinerzieherin. »Die Erika ist mit der Eva-Maria gestern gleich nach der Zeugnisverteilung aufs Land raus, ich habe ihr versprochen die Stauden jeden Tag zu wässern.«

Lust, mich in die Wohnung meiner Kusine zu begeben, hatte ich zwar keine und spät dran war ich eigentlich auch schon, aber ich wollte die Harmonie zwischen Mutter und Sohn nicht trüben, also ließ ich mir den Tanten-Wohnungsschlüssel aushändigen.

»Du fährst nicht aufs Land raus?«, fragte ich.

Die Alleinerzieherin schüttelte den Kopf. »Ich habe mir für morgen zwei Tennistermine arrangiert«, sagte sie. »Und heute Nachmittag treffe ich mich mit einem Bekannten zum Plaudern. Seit du nicht mehr aufs familiäre Landleben erpicht bist, sehe ich ehrlich keinen Grund mich weiterhin zwischen die Brennnesseln und den Löwenzahn zu begeben, auch wenn die Erika deswegen ein bissl sauer ist!«

»Recht gedacht«, sagte ich und strebte türwärts. »Nichts muss ewig währen im Leben.«

Sie rief mir nach: »Arm dran ist nur die Eva-Maria, die hockt jetzt allein mit der Erika draußen herum und verzweifelt an Gott und der Welt.«

Am liebsten hätte ich mich umgedreht und gesagt: »Prima, da hat sie doch reichlich Zeit innig an ihren geliebten Laienspielgruppenleiter zu denken!«

Aber das unterdrückte ich. Ein harmonisch verbrachtes Frühstück ist noch lange kein Anlass der Frau Einblick in mein gekränktes Innerstes zu gewähren!

Ich radelte zur Tanten-Wohnung rüber, versah die florale Balkonpracht kübelweise mit Wasser und entfernte das Plastiksackerl mit den Werbeprospekten vom Türknauf, weil meine Tante meint, dort baumelnde Tüten zeigen Dieben an, dass der Mieter abwesend und ein Einbruch ohne Risiko möglich sei.

Dann wollte ich die Wohnung verlassen. Ich stand schon im Vorzimmer in Reichweite der Wohnungstür, da überkam mich plötzlich ein ganz wehes, waidwundes

Gefühl mit Ziehen im Brüstl, enger Kehle und Kaugummi-Knien. Vielleicht lag es daran, dass ich Ausblick durch die offene Wohnzimmertür auf das riesige, schaurige Essig & Ölgemälde hatte, von welchem mir ein zwölfjähriger Eva-Maria-Mops schief verzogen entgegenlächelte. Nach einem Foto, das ich einmal geknipst hatte, hatte eine Kurzzeit-Beziehung meiner Tante, ein Postvorstand und Hobbymaler ohne Talent, dieses Bild gepinselt und meine Tante hatte es trotz heftigem Protest meiner Kusine an die Wand genagelt. Nach Meinung meiner Mutter aus Genugtuung darüber, dass endlich einmal eine ihrer Kurzzeit-Beziehungen mehr als bittere Enttäuschung bei ihr zurückgelassen habe.

Jedenfalls war ich in der Stimmung meiner Wehmut zu Willen zu sein und ging in das Zimmer meiner Kusine. Eine Trauerminute auf meine große, dahingegangene Liebe wollte ich dort abhalten. Ich legte mich auf das zerwühlte Bett und schloss die Augen. Doch statt Gedenk-Gedanken zu fassen wurde ich von Neugier übermannt. Ich sprang auf und machte mich im Schreibtisch-Chaos auf die Suche nach dem roten Luxusheft. Wissen, wie aus Sicht der Eva-Maria meine Verweigerung ausschaute, wollte ich. Und wie es mit ihr und dem Laienspiel-Ex-Twen weitergegangen war!

Ich riss alle Schreibtischladen auf und wühlte drin herum, ich schaufelte den vermischten Kram auf der Tischplatte mehrmals um, das rote Heft war nicht zu finden. Enttäuscht vermutete ich, meine Kusine habe es aufs Land mitgenommen, wollte das Vorhaben aufgeben und bückte mich nach einem Notizblock, der beim Umschaufeln des vermischten Krams vom Tisch gerutscht und auf den Boden gefallen war. Meine gebeugte Haltung gewährte mir Einblick unter das Bett meiner Kusine und ich erspähte dort einen bunten Heftchaufen. Was Knallrotes war auch dabei und es war das gesuchte Heft! Ich fischte es aus dem Heftehaufen raus, legte mich wieder ins Bett, stopfte mir das zart nach Miss Dior duftende Kissen unter den Kopf, schlug das Heft auf und fing dort zu lesen an, wo ich vor Wochen aufgehört hatte. Neun Seiten waren dazugekommen, und was auf denen geschrieben stand, stülpte mir fast die Augäpfel aus den Höhlen raus.

Kugelschreiberblau auf Weiß stand da, ihr Kusin Sebastian habe sich in der Nacht vom Samstag auf den Sonntag von ihr verführen lassen. Auf dem Land draußen, im Schlafkämmerlein, während der bleiche Vollmond zum offenen Fenster reinschaute und die Grillen lieblich zirpten.

Die Details der Verführung umschrieb sie mit so Platitüden wie »eine heiße rote Welle rollte über uns drüber« und »unser beider Herzen schlugen gemeinsam den Takt im Rhythmus unserer Glieder«. Gnädigen Schwamm drüber über den sprachlichen Käse! Jedenfalls erwachte die Eva-Maria ihrem schriftlichen Erguss nach am Sonntagmorgen nicht mehr als Mädchen, sondern als »Frau«.

Und am Montag dann, als sie dem Ex-Twen wieder gegenüberstand, fühlte sie durch ein tiefes innerstes Erschaudern, dass ihre Liebe zu ihm erkaltet war, dass sie ihn nie-nie-nie geliebt hatte, nur kindisch verliebt in ihn gewesen war. Aber der Ex-Twen witterte, ganz wie von ihr vorhergesehen, dass sie über Nacht »zur Frau erblüht« war und wollte sie heftig umarmen. In der Garderobe, vor einem Haufen Kostüme, als alle anderen Laienspieler bereits abmarschiert waren. Doch die Eva-Maria stieß ihn so heftig von sich, dass er taumelnd auf den Kostümhaufen plumpste und lief zu mir. Ganz klar war ihr nun, wem ihr Herz wirklich gehörte, immer gehört hatte und auf ewig gehören werde.

Auf der letzten beschriebenen Seite schildert sie, wie sie zu mir kommt. Ich sitze in meinem Zimmer, bestrahlt von der Schreibtischlampe, über einer philosophischen Schrift, bei ihrem Eintreten blicke ich hoch, kriege leuchtende Augen, springe auf, schließe sie in die Arme, küsse und herze sie und stammle: »Baby, wie kam ich nur je auf den Gedanken schwul zu sein?«

Fassungsloser als diese Lektüre hatten mich garantiert noch nie beschriebene Seiten gemacht. Wie in Trance beugte ich mich über den Bettrand und grapschte nach den restlichen Heften, einem großen blauen, einem großen gelben und einem kleinen schwarzen; womit ich alle Mondrian-Grundfarben um mich versammelt hatte.

Ich nahm mir das blaue Heft vor und las darin, dass mich die Eva-Maria liebt »seit ihr kleiner Kinderkopf überhaupt einen Gedanken fassen kann«. Aber ich hatte stets nur ein freundschaftliches Verhältnis zu ihr und da kommt sie auf die Idee mich der Homosexualität zu verdächtigen um mich dann dazu zu bringen, mich anhand ihres reizenden Körpers vom Gegenteil zu überzeugen. Aber ich Dödel ignoriere ihr Angebot und nehme zur Klärung meiner sexuellen Vorlieben lieber die verblödete Tochter der abscheulichen Familie Pribil und verfalle der völlig und gebe mich dem oberflächlichen Lotterleben mit ihr hin. Aber die Eva-Maria kämpft wie eine Löwin um mich. Vorerst sehr erfolglos. Doch dann verführen mich eines Tages die Pribil-Tochter und ihr Bruder zum Kokainschnupfen und ich verfalle auch noch dieser Droge. Die Eva-Maria kommt dahinter, weil ich immer blässer und blässer werde und schwarze Ringe unter den Augen habe, und sie rettet mich, indem sie zur Pribil-Tochter geht und der entgegenschleudert: »Entweder du gibst den Sebastian frei oder ich sage alles deinen Eltern und der Polizei!« Die Pribil-Tochter, die im blauen Heft Tatjana heißt, geht drauf ein. Weil sie eben ein Luder ist, das mich nicht wirklich liebt. Und ich erkenne, wo die wahre Liebe wohnt, und schenke der Eva-Maria einen silbernen Verlobungsring mit einem kleinen roten Stein.

Im gelben Heft dann durfte ich lesen, dass ich seit etlichen Jahren ein »zerquälter, mit mir selbst zerfallener, unglücklicher« Mensch war, weil ich mir mein Schwulsein nicht eingestehen konnte. Nichts mehr von meiner früheren, kindlichen Heiterkeit war in mir. Aber die

Eva-Maria, ihre große Liebe zu mir heldenhaft ignorierend, führt mich unbeirrt auf den rechten, also den schwulen Weg. Sogar auf den Häusel-Strich führt sie mich mit sanfter Gewalt. Und dort lerne ich schließlich einen schönen, zerbrechlichen Jüngling mit schwarzen Glutaugen und lilienschlanken Hüften kennen und mit dem gehe ich dann Hand in Hand aus dem Häusel davon, während die Schreiberin der Zeilen unter den Kastanienbäumen am Platz vor dem Häusel steht und uns tränenden Auges nachschaut, schwer leidend, fast gebrochen, aber wissend das Richtige getan zu haben. »Viel, viel Glück«, murmelt sie mir hinterher.

Und dann war in dem Heft noch ein PS-Nachtrag, der lautete ungefähr so: »Viele Jahre sind seither vergangen. Heute lebt mein Kusin in Los Angeles als Philosophie-Professor, er ist mit einem Maler verheiratet und die beiden haben vor zwei Monaten ein kleines Töchterchen mit schwarzer Haut adoptiert.«

Das Schrifttum im kleinen schwarzen Heft strapazierte mich am wenigsten. Nur die erste Seite war beschrieben, alle anderen waren noch unschuldig weiß. »Scheiße!« stand auf Seite eins. »Scheiße-Scheiße! Ich vermute, ich habe doch kein Talent zur Schriftstellerin. Einfälle, wie die Handlung laufen könnte, habe ich mehr als genug, aber mein Stil ist nicht gut genug. Ich kriege in die Sätze nicht rein, was aus ihnen rausblitzen soll, ich fessle den Leser nicht.«

Zumindest was den allerersten Leser ihrer Schreibarbeit betraf, hatte sich die Eva-Maria gewaltig geirrt. Die grundfarbene Lektüre hatte mich derart niedergeprackt, dass ich bewegungsunfähig war, direkt gelähmt, also mehr als gefesselt!

Reglos lang gestreckt lag ich im zarten Miss-Dior-Duft, sargfertig aufgebahrt, statt Kränzen mit den vier Heften auf dem Bauch, und versuchte die neue Situation zu überdenken. O.k., sagte ich mir, die literarischen Versuche meiner Kusine für ihr ehrliches Tagebuch gehalten zu haben zeugt von geringer Kenntnis der Psyche meiner Wippschaukel-Denk-Partnerin, ist aber entschuldbar, falls man nicht verlangt, dass einer, der innig liebt, alle Untiefen der geliebten Person intuitiv durchschauen müsste.

Ist auch nichts dagegen einzuwenden, sagte ich mir, als Vorbild für den Helden der ausgedachten Storys einer Schreiblüsternen hergehalten zu haben, selbst wenn diese Storys literarische Abartigkeiten sind.

Aber, fragte ich mich, was ergibt sich nun daraus, welche Konsequenzen hat das, wie stehe ich nun zur Eva-Maria? Nicht das kleinste Zipfelchen einer Antwort erhaschte ich und lag weiter reglos da, bis im Wohnzimmer drüben das Telefon klingelte. Das sind Pribil & Pribil, fuhr mir durchs angeschlagene Hirn, die wollen wissen, wo ich so lange bleibe, warum ich nicht endlich bei ihnen aufkreuze.

Ich rappelte mich hoch und wankte dem Telefon zu, erst bei der Wohnzimmertür wurde mir bewusst, dass die Pribils weder die Telefonnummer meiner Tante hatten noch dass sie von meiner Anwesenheit hierorts wissen konnten. Ich lehnte mich an den Türstock und ließ das Telefon klingeln. Es gab noch vier »düdeldü« von sich, dann verstummte es. Dem Drang mich wieder ins Zimmer der Eva-Maria zu begeben und sargfertig aufs Miss-Dior-Lager zu betten widerstand ich und durchquerte das Wohnzimmer in Richtung Vorzimmer.

Ich verließ die Tanten-Wohnung, stolperte die Treppen runter und aus dem Haus raus. Dass ich auf dem Rad hergekommen war, hatte ich vergessen. An der Straßenkreuzung fiel mir ein, dass mein Fahrrad noch im Tanten-Haus am Geländer der Kellertreppe lehnte, aber ich kehrte nicht um. Ich stolperte weiter drauflos.

Hätte ich nach Hause gehen wollen, hätte ich nach rechts abbiegen müssen, hätte ich zu den Pribils wollen, hätte ich nach links abbiegen müssen, aber ich stolperte einfach geradeaus und dabei war mir, als drehe sich hinter meiner Stirn ein gestreiftes Windradl, so eines mit vier Zipfeln, wie man es kleinen Kindern im Prater kauft.

Das Windradl drehte sich sehr schnell und es hatte einen Lautsprecher eingebaut, aus dem dröhnte unentwegt: »Und was ist jetzt die Wahrheit?«

Und hinter dem sich drehenden, dröhnenden Windradl versammelten sich meine kleinen grauen Zellen und kreischten mir empört in die Ohren: »Frag dich doch nicht so etwas Saublödes! Du weißt doch genau, jede Einzelwahrheit kann nur einen relativen Wert beanspruchen, ist unvollkommen und nur für den Augenblick gültig, sie ist nicht die ganze Wahrheit.«

Und ich keifte, so stimmlos wie verbittert, meine kleinen, grauen Zellen an: »Das hilft mir aber einen Tinnef weiter, ihr Klugscheißer!«

Wie lange ich dahin stolperte, weiß ich nicht mehr. Irgendwann kam ich dann in einen Park mit Kieswegen und in meine linke Sandale geriet ein Kieselsteinchen. Ich setzte mich auf eine Bank am Wegesrand, zog den Schlapfen aus und beutelte das Kieselsteinchen raus. Die Sonne stand schon ziemlich hoch am wolkenlosen Himmel. Ich lehnte mich, mit dem Schlapfen in der Hand, zurück und blinzelte ins gleißende Gelb rauf.

Das Windradl in meinem Kopf drehte sich nur noch ganz langsam, dann stand es still und meine kleinen grauen Zellen fielen über die Windradlzipfel her und fraßen sie auf. Restlos, mit Butz und Stingel. Nachdem sie das vollbracht hatten, formierten sie sich zu einer kompakten Armee in Reih und Glied, die Ober-Über-Zellen-Generalin sprang vor, salutierte und meldete: »Wenn wir alle nur für den Augenblick gültigen Wahrheiten außer Acht und relativ sein lassen, bleibt, sich durch jegliche Unwahrheit ziehend, dass dich die Eva-Maria liebt! Sie liebt dich, egal, wie du bist, egal, wie du noch werden wirst! Kapiert?«

Dann trat die Ober-Über-Zellengeneralin ins Glied

zurück und überließ mich dezent dem Gefühl, welches sich nach der Meldung wohlig in mir auszubreiten begann. Es war ein sagenhaft lustvolles Knabe-du-wirst-egal-wie-du-bist-geliebt-Gefühl. Und als sich dieses bis in die Zehen- und die Fingerspitzen vorgearbeitet hatte, zog ich mir die linke Sandale wieder an und erhob mich.

Ein Knirps auf einem Dreirad mit roter Traktorkarosserie kam den Kiesweg herauf, ich stellte mich ihm in den Weg und sagte: »Du, ich hab mich verlaufen, kannst mir sagen, wo ich hier bin?«

Der Knirps schaute mich kugelrund an. »Na, im Park«, sagte er dann.

»Und zwar in welchem Park?«, fragte ich.

Das war dem Knirps zu hoch, er rief: »Mama, Mama!«

Von einer Parkbank sprang eine Frau auf und eilte hurtig herbei. Um nicht als Heimatstadt-Volltrottel dazustehen sprach ich die Knirps-Mama auf Englisch an. Touristen dürfen sich schließlich in fremden Städten verirren.

»Please, dear madame«, fragte ich, »could you show me the straight way to the city?«

Die Knirps-Mama war des Englischen nicht kundig. Sie lächelte verlegen, zuckte mit den Schultern und sagte: »Tut ma Leid, ich versteh Sie net.«

So versuchte ich mich in gebrochenem Deutsch mit Prince-Charles-Akzent: »Bitten, Sie kann mir weisen die nahe Weg in der Zentrum von das Stadt?«

Die Knirps-Mama nickte und wedelte mit ausgestreckter Rechter einer Gruppe von Kastanienbäumen zu. »Straßenbahn«, erklärte sie. »Tramway! Bim-bim!« Ich lächelte. »Streetcar?«, fragte ich.

»Streetcar!«, rief sie nickend wie der Sarotti-Mohr, begeistert ob meines und ihres Verstehens. Dann hob sie beide Hände, spreizte alle zehn Finger ab, senkte die Hände und hob sie noch dreimal mit abgespreiztem Finger. Hierauf hob sie nur eine Hand und an der war der Daumen hinter dem Handrücken verborgen. »Streetcar vierundvierzig«, sagte sie beschwörend sich wiederholend.

Ich nickte, verbeugte mich, sagte »Kiss the hand, gracious woman«, und enteilte in Richtung der Kastanienbäume, wissend, dass ich mich in Ottakring befand, weil dort die Bim Nummer 44 verkehrt.

Der fremdsprachlichen Lage-Erkundung hätte es aber gar nicht bedurft, denn beim Parkausgang hinter den Kastanienbäumen prunkte ein blaues Straßenschild, der Name der Straße besagte mir zwar nichts, aber wie das hierorts üblich ist, war dem Straßennamen die Bezirksnummer vorangestellt, und dass der sechzehnte Bezirk Ottakring heißt, weiß sogar ich unterschichtsgegendunkundiger Dolm.

Auch eine Haltestelle der Straßenbahnlinie 44 war, wie von der Knirps-Mama vorausgesagt, gleich beim Parkausgang. Und ein Straßenbahnzug fuhr gerade in die Haltestelle ein. Ich hätte sie noch erreichen können. Aber mir war nicht danach, in die Bim einzusteigen. Ich wollte mein wunderbares Du-wirst-geliebt-egal-wie-du-bist-Gefühl ganz allein genießen, Straßenbahnfahrgäste fand ich dabei hinderlich.

Also ließ ich die Bim abfahren, überquerte die Straße und bog in eine schmale Seitengasse ein. In Wien beginnt jede Gasse an dem Ende, das der Stadtmitte näher liegt. Dort hat das erste Haus die Hausnummer eins und das gegenüberliegende Haus die Hausnummer zwei. Weil dort, wo ich in die Gasse eingebogen war, das Haus die Nummer sechzig am Haustor stehen hatte und das nächste Haus die Nummer achtundfünfzig, konnte ich mir sicher sein der Stadtmitte zuzuwandern. Ab Nummer zwanzig wurden die Häuser, an denen ich vorbeikam, ebenerdig und zwischen ihnen waren kleine Gärten. Dann kamen nur noch Gärten hinter windschiefen Zäunen, auf denen uralte, sonnengebleichte, regenverwaschene Plakate klebten.

Und dann tauchte vor mir eine kleine Brücke auf. Schon von weitem war zu sehen, dass die Brücke über keinen Fluss führte. Bahngleise liefen unter ihr durch. Ich vermutete – wie ich nun weiß, zurecht – dass das die »Vorortelinie« sein müsse. Die ist eine Verbindungsbahn aus K&K-Monarchie-Zeiten, die jahrzehntelang stillgelegt war. Dass es seit ein paar Jahren auf dieser Strecke wieder regelmäßigen Personenverkehr gibt, war mir Ignoranten nicht bekannt. Ich erinnerte mich bloß daran, dass ich vor vielen Jahren mit meiner Großmutter oft auf einer anderen Brücke über der Vorortlinie gestanden war und dass es mir Spaß gemacht hatte, mich über das Brückengeländer zu beugen und auf die Gleise runterzuspucken.

Warum ich tat, was ich dann tat, kriege ich jetzt im Kopf nimmer komplett zusammen. Ich kann bloß noch ein paar Komponenten, die zu meinem Entschluss beitrugen, erinnern.

1. Mir war luftballonleicht zu Mute. Leicht wie ein luftgefüllter Ballon fühlte ich mich, aber ich hätte mich gern wie ein gasgefüllter gefühlt, wie einer, den man am Schnürl halten muss, damit er nicht wegfliegt.

2. An einem der Zäune, an denen ich vorbeigekommen war, hatte ein Zirkusplakat geklebt, auf dem eine glücklich lächelnde Seiltänzerin mit Schirmchen, hoch oben im Zirkuszelt abgebildet war.

3. Es war weit und breit kein einziger Mensch zu sehen und ich fühlte mich unbeobachtet und frei, alles zu tun, was mir spontan in den Sinn kam.

4. Das Brückengeländer hatte oben eine zehn Zentimeter breite, ebene Abschlussleiste, also reichlich Platz um eine Schuhsohle draufzustellen.

5. Mir war danach, irgendetwas Außergewöhnliches zu tun, um meinen positiven Gefühlsstau in körperliche Aktivität umzusetzen.

Jedenfalls erklomm ich das Brückengeländer, streckte die Arme beidseits waagerecht aus, blickte locker geradeaus und setzte gemächlich einen Fuß vor den anderen.

Schließlich hängt der Schwierigkeitsgrad eines Balanceaktes nicht von der möglichen Fallhöhe ab. Im Ländlichen auf einem quer liegenden, rutschigen, nassen, runden, dazu noch stark federnden Baumstamm einen Bach zu übersetzen ist weit schwieriger als über ein stabiles, zehn Zentimeter breites, vierkantiges Eisenrohr zu wandern. Zugegeben, das Risiko im Fall des Baches ist geringer, da kann man bloß ein feuchtes Hoserl abkriegen. Aber wer Dutzende Male ohne feuchtes Hoserl über den Bach hinter dem Tanten-Haus drübergekommen ist, der neigt dazu, die Risikofrage als vernachlässigenswert einzustufen.

Ich war exakt in der Mitte der Brücke, da ertönte ein lang gezogener Pfiff von der Sorte, die man »durch Mark und Bein gehend« nennt.

Weil ich nicht nach unten, sondern geradeaus blickend das Geländer entlanggewandert war, hatte ich den lautlos herannahenden Zug nicht gesehen und auch nicht damit gerechnet, dass unter mir überhaupt ein Zug auftauchen könnte, also irritierte mich der Mark-und-Bein-Pfiff des Zugführers enorm. Ich kam ins Wanken und Schwanken, merkte, dass ich dabei war, komplett die Balance zu verlieren, und wollte vom Geländer auf die Brücke runterspringen. Wäre nicht dieser aufgeregte Dödel von einem Hinkebein-Rentner gewesen, wäre mir das sicher auch gelungen. Doch das Hinkebein, seinen Gehstock schwingend, kam auf der Brücke auf mich zugehumpelt und schrie aus voller

Rentnerkehle: »Bub, Bub, um Christi willen, bist denn ganz deppert?«

Das gab meiner Balance den Rest, statt auf dem Gehsteig der Brücke, landete ich auf dem letzten Waggondach des Zuges, was laut ärztlicher Meinung ein Glück im Unglück gewesen sein soll, weil dadurch erstens meine Fallhöhe um etliche Meter reduziert wurde und zweitens ein Waggondach weicher als ein Bahngleis ist. Das ist natürlich lächerlich, denn wäre der verdammte Zug nicht pfeifend herangekommen, hätte ich garantiert völlig heil und unversehrt das andere Ende der Brücke erreicht!

Nun liege ich, beide Beine in voller Länge bis zu den Hüften im Gips im Krankenhaus, in einem sonnigen Einzelzimmer. Zwei Gipsbeinwochen habe ich bereits hinter mir, mindestens vier, wenn nicht fünf Gipsbeinwochen liegen angeblich noch vor mir. Die Alleinerzieherin sucht bereits nach einer Pflegerin, mit der sie sich meine Betreuung teilen kann. Wenn sie so eine hilfreiche Person aufgetrieben hat, will sie mich in häusliche Pflege übernehmen.

Ich weiß nicht, ob ich das überhaupt will. Ich fühle mich hier sehr wohl, die vorübergehende Unbeweglichkeit meiner unteren Hälfte stört mich wenig. Wenn ich sitze und ins Notebook tippe, schiebe ich mir einen Schwimmreifen unter den Arsch, damit er nicht wund wird, und wenn die krankenhäusliche vormittägliche Betriebsamkeit vorüber ist, habe ich – abgesehen von der nachmittäglichen Besuchsstunde, die ich kurz halte, indem ich mich erschöpft gebe – meine heilige, direkt klösterliche Ruhe.

Die Pribils sind vorgestern nach USA abgedüst. Als Trostpflaster hat mir die Squaw einen CD-Walkman und eine ganze Schuhschachtel voll CDs gebracht. Wobei es eine irre lachhafte Szene an meinem Krankenbett gegeben hat. Die Alleinerzieherin war völlig perplex über das Aussehen und Betragen von Mama Pribil. Mauloffen rückte sie ihren Stuhl zu meinem Bettende und überließ mich den Zuwendungen der Squaw. Und als sich die dann von mir verabschiedete, mit feuchten Augen, und mir noch das Kissen im Rücken ein bisschen zurechtklopfte, kam ein Turnus-Arzt ins Zimmer rein, einer, der noch nie vorher bei mir gewesen war. Er schrieb irgendwas auf mein Krankenblatt, dann sagte er zur Squaw: »Gnädige Frau, in ein paar Wochen rennt Ihr Sohn wieder wie ein Wiesel!«

Mama Pribil lächelte ihm zu und säuselte: »Na klar wird mein Burschili wieder!«

Und der Turnus-Arzt sagte: »Ihr Sohn hat gottlob außergewöhnlich gesunde Knochen!«

Worauf die Alleinerzieherin derart ruckartig von ihrem Besucher-Stühlchen hochschnellte, dass dieses umkippte und – Beine nach oben – dalag. Ohne sich um das gefallene Möbel zu scheren, rannte sie aus dem Zimmer.

Mama Pribil stellte den Sessel wieder auf und fragte ahnungslos: »Ist deinem Mamatschi übel geworden? Eh kein Wunder, das Lufterl da herinnen ist nicht das Frischeste.«

Dann wollte sie sich auf die Suche nach meiner Mutter machen um ihr beizustehen. Aber da kam die Alleinerzieherin schon wieder retour, blitzenden Auges und vorgeschobenen Kinns, packte ihren Stuhl, stellte ihn neben mein Nachtkastel, wamste sich drauf, grapschte nach meiner Hand und hielt sie fest. Wohl, damit jeder Unkundige beim Eintritt sofort erkennen kann, wer da die Mutter ist.

Erstaunlicherweise lässt es mich kalt, dass ich nicht mit den Pribils in die USA düsen kann. Kommt mir direkt so vor, als hätte ich das nie echt beabsichtigt, als hätte ich bloß vage mit dem Gedanken gespielt. Der Erzeuger ist übrigens gestern in Salzburg mit Weib und Kind aus den USA angekommen. Er wollte mir ein Telefon ins Krankenhauszimmer ordern, damit er mit mir Kontakt aufnehmen kann ohne dafür dreihundert Kilometer zu fahren. Aber ich habe der Krankenschwester, die mit dem Apparat in mein Zimmer kam, gesagt, dass sie das Ding wieder mitnehmen soll. Ich habe auch der Alleinerzieherin gesagt, dass sie auf Urlaub fahren soll; was die Frau jedoch entschieden ablehnt. Mutter am Strand in der Sonne, Sohn im Spital im Gips, das kriegt sie nicht hin. Wohl vor allem deshalb nicht, weil sie – wie alle anderen auch – nun der festen Meinung ist, ich wollte meinem jungen Leben in Ottakring draußen, auf der Eisenbahnbrücke, eine Ende setzen.

Aus diesem Grunde, nehme ich an, weilte auch bereits fünfmal für fünfzig Minuten eine grauhaarige Dame mit Teddybärfigur und vielen schwarzen Mitessern auf den Nasenflügeln an meinem Bett. Die Dame ist keine Anstalts-Psychologin, sondern privat von der Alleinerzieherin engagiert. Diese Mitesser-Teddyfrau plauscht schräg geneigten Hauptes recht nett mit mir, sehr behutsam, keineswegs bohrend. Aber ich glaube nicht, dass ihr freundliches Nicken, als ich ihr sagte, dass ich in einem seelischen Hoch und nicht in einem seelischen Tief das Brückengeländer erklomm, ehrlich war. Sonst hätte sie mich wohl nicht nachher dezent auf die Sache mit dem Fensterbrett und der zerborstenen Fensterscheibe in der Schule angesprochen. Frau Mutter dürfte nachträglich zur Überzeugung gekommen sein, dass der Hofrat und die Kieferstein damals doch Recht hatten, und muss ihr davon erzählt haben.

Ich nehme der Teddyfrau nicht krumm, dass sie mir nicht glaubt. Sie kennt mich ja erst fünfmal fünfzig Minuten. Zudem hat sie sowieso bei mir ein Positiv-Konto, weil sie der Alleinerzieherin angeraten hat, nur in der offiziellen Besuchsstunde zu mir zu kommen um mich nicht zu überfordern. Da ich »auf Klasse« liege, gilt die Krankenkassen-Patienten-Normal-Besuchszeit für mich nicht und die Alleinerzieherin hätte am liebsten rund um die Uhr bei mir Wache geschoben. Statt Urlaub am Meer, Urlaub im Krankenhaus, wie's sich für ein entsagendes Mütterlein eben gehört.

In siebzehn Minuten wird die psychologische Dame wieder zur Tür reinkommen. Ich bin noch am Überlegen, ob ich sie heute spaßhalber mit meinen Sex-Problemen belästigen soll. Warum eigentlich nicht, wenn sie schon für meiner Mutter gutes Geld da sitzt, könnte sie mir doch ihre Meinung dazu kundtun. Wenn ich allerdings meine Decke lüpfe und mir anschaue, was da – hochgehoben, damit es nicht zwischen den Gipsbeinenden zerquetscht wird – lagert, kommen mir therapeutische Anstrengungen seinetwegen übertrieben vor. Möglicherweise geben sie einem hier im Krankenhaus ja auch Brom oder so was, zwecks Ruhigstellung der Triebe. Abgesehen vom Harndrang, welchen ich mittels einer Bettflasche aus der Welt schaffe, rührt sich pimmelmäßig seit ich hier lagere überhaupt nichts. Ich bin daher nicht einmal fähig mit dem Menschen, den ich am meisten liebe, also mit mir, ein wenig Sex zu haben.

Die Eva-Maria war bis jetzt dreimal hier. Jedes Mal in Begleitung ihrer oder meiner Mutter. Wir haben kaum ein Wort miteinander geredet. Aber wir haben hin- und hergelächelt, sozusagen: wippschaukel-gelächelt, und für den Anfang reicht das wohl.

Ich vermute, dass die Alleinerzieherin in den nächsten Tagen kaum auf die Idee kommen wird ihren betreuenden Mutter-Platz an meinem Bett zu räumen um mich mit der Eva-Maria allein zu lassen. Daher habe ich mir gestern von ihr eine Diskette bringen lassen. Eine knallrote! Darauf habe ich bestanden. Die schiebe ich heute noch ins Notebook. Und wenn die Eva-Maria das nächste Mal herkommt, überreiche ich ihr meine überspielten Aufzeichnungen.

Ich habe lange überlegt, ob ich das wirklich tun soll, denn ich hatte das verunsichernde Gefühl mich ihr damit völlig auszuliefern. Aber nun denke ich, das kann man auch viel lockerer sehen: Eine knallrote Diskette lässt sich im Notfall genauso leicht wie ein knallrotes Schreibheft zum literarischen Versuch erklären.

Und wenn's unbedingt sein soll, kriege ich auch noch eine gelbe und eine blaue Diskette voll. So viele unterschiedliche Bonsais wie die Eva-Maria kriege ich doch mit links hin. Ich bin schließlich nicht so eindimensional gebaut, dass nicht auch zweihundertsechsundvierzig ganz anders lautende Seiten voll der Einzelwahrheiten über mich möglich wären.

Anmerkungen

Möglicherweise sind dem Leser einige Wörter nicht ganz verständlich. Zu Ausdrücken, die sich vielleicht nicht aus dem Sinnzusammenhang erschließen lassen, hier einige Erklärungen:

Bubu: Abschiedsgruß, früher Kindern winkend gesagt, nun zärtliches tschüß für jedermann *Bim:* Straßenbahn *Binkerl:* Bündel *Blunzen:* Blutwurst, bzw. dümmliches weibliches Wesen *Brunze:* Urin *Dödel & Dolm:* harmloser Depp *Germ:* Hefe *Gfrast:* hinterhältige Person *Giftler:* Drogenabhängiger *Gramuri:* Kram *Gschrapp:* Kleinkind *Gugelhupf:* Napfkuchen *Häferl:* hohe, zylindrische Tasse *Holler:* Holunder, Unsinn *Kirtag:* Kirchweihfest *Clubber:* Person, die Disco-Feten besucht, für die es der Clubkarte bedarf *Mugel:* sanfte Erhebung *Nachtkastel:* Schränkchen neben dem Bett *Ohrwaschel:* Ohrmuschel *Pinschzertifikat:* Zeugnis mit negativen Noten *Planzerei:* jemanden zum Besten halten *Sandler:* Obdachloser *Schanigarten:* Outdoor *Schnecken:* Ausruf der Enttäuschung *Stockerl:* Hocker *Surbottich:* Pökelfass *Topfen:* Quark *Tschick:* Kippe *Tuchent:* Federbett *Unmurke:* Gurke *Ungustl:* ungustiöser Kerl *Urschel:* Ursula, bzw. dumme Frau *vergatscht:* matschig *versumpert:* verkommen *Wandbrunnen:* Pieselbecken im Pissior *Wappler:* Mehrzweckschimpfwort mit freundlicher Komponente.